Västgötalagret

Stig Claesson

en
bok för alla
från Litteraturfrämjandet

Stig Claesson

som också är känd under signaturen Slas, är idag en
mycket uppmärksammad och läst författare. Han är
född 1928 i Stockholm och de rötter han har i sin
hemstad framtonar ofta i hans berättelser. Men Slas är
också resenären som gärna blandar det rena reportaget
med fiction i sina böcker från när och fjärran.

Under åren 1947 till –52 gick han på Konstakademien
och prov på de färdigheter han där skaffade sig visar
han ofta med sina egna illustrationer i böckerna.

en
bok för alla

ska vara underhållande och spännande. Den ska handla om verkliga
människor, onda och goda, hur de lever, tillsammans och i ensamhet,
hur de tänker om sig själva och om det som händer och finns omkring
dem. Böckerna ska roa och oroa, angå, stanna kvar i minnet.

Varje bok från Litteraturfrämjandet är en
bok för alla

Litteraturfrämjandet har vuxit fram ur det sedan 1948 årligen
anordnade Boklotteriet och fick sin nuvarande form av stiftelse
1965. I stiftelsen ingår Arbetarnas bildningsförbund (ABF),
Kooperativa Förbundet (KF), Landsorganisationen i Sverige (LO),
Lantbrukarnas Riksförbund (LRF) – Studieförbundet Vuxenskolan
(SV) och Tjänstemännens Centralorganisation (TCO) –
Tjänstemännens Bildningsverksamhet (TBV).

Stiftelsen har till uppgift att öka intresset för svensk litteratur och
konst genom att utdela priser och stipendier till förtjänta författare,
konstnärer och kulturskribenter och genom andra initiativ ägnade att
främja intresset för litteratur och konst.

Mest kända av litteraturpriserna är Litteraturfrämjandets Stora Pris,
Stora Romanpriset och Carl-Emil Englundpriset.

Stiftelsens verksamhet finansieras genom Boklotteriet, vars hela
behållning kommer stiftelsen tillgodo. Genom lotteriet sprids årligen
minst 125.000 böcker i form av vinster.

I samarbete med de folkrörelser som ingår i Litteraturfrämjandet tas
olika initiativ för att nå nya bokläsare på arbetsplatser och där
människor möts på sin fritid. I detta samarbete ingår bl.a.
Folkrörelsernas bokklubb, där organisationstidningar och
folkrörelseförlag samverkar med Litteraturfrämjandet, som
ansvarar för bokklubbens administration.

Från 1 juli 1976 genomför Litteraturfrämjandet med anslag från staten
en treårig försöksverksamhet med utgivning av 5-kronorsboken –
en
bok för alla

En bok för alla från Litteraturfrämjandet
© Stig Claesson 1965
Omslag Johan Ogden
Grafisk form Typoform Stockholm
Tryckt hos Elanders Boktryckeri AB, Kungsbacka 1978
ISBN 91-7448-047-2

Preludium

Det gör mig ont om bina.

År 1938 i mitten av mars reser sig en man ur den säng han ligger i och går på darrande ben ut i sitt kök och sätter sig på en ljust grå mot blått målad pinnsoffa.

Han sitter på pinnsoffan och lutar armarna mot köksbordet.

Han sitter mitt emot klockan på kökshyllan. Armbågarna vilar på den blårandiga vaxduken.

Klockan är snart tio på förmiddagen.

En köksvåg står intill klockan.

Det är inte säkert att mannen känner igen vaxduken.

Klockan känner han igen.

En några dagar gammal Nya Dagligt Allehanda ligger på soffan.

Hitler till sina föräldrars grav i Österrike.

Mannen känner inte igen denna nyhet.

Han tycker sig heller inte känna igen vaxduken.

Mannen lyssnar till köksklockans tickande. Till Sofia kyrka som slår kvart över tio. Till barn som går i husets trappa.

Till barn som pratar på gatan.

En trappa upp i en hyreskasern på Söder i Stockholm.

3

En förmiddag i mars 1938.

Solen lyste denna dag i tre timmar.

Tills kyrkans klocka slår halv elva. Tills hans egen klocka, den som hänger i stora rummet, slår halv elva.

Den klockan, det svarta vägguret, tänkte han så småningom dra upp.

Om han orkade.

Det är ljust i köket. Igenom de tunna gardinerna broderade med prästkragar i rött som övergår i gult, i grönt som övergår till svart, slår solen som skiner på gatans motsatta fasad in. Stänger någon ett fönster på andra sidan gatan sveper en solkatt genom köket.

Mannen som lyssnar till det som hörs i en tystnad på en tvärgata till två längre gator på östra Söder är klädd i pyjamas och stickad tröja med knappar.

Han är något över femtio år.

Mannen har nästan inget hår och det hår han har är grått.

Han andas med svårighet.

Ljuset i köket lägger han märke till och den nya vaxduken.

Ljuset lägger han märke till därför att han kommer från mörkret.

Det innersta mörka rummet kommer han ifrån.

Det innersta rummet är mindre än det stora rummet, det med klockan, och bara något större än köket.

Rummet är kantigt men inte fyrkantigt. Inte heller trekantigt.

Snett kanske.

I hörnet av hyreskasernen står en pelare och

4

därav är rummet mot hörnan i första våningen sned.

Två trappor upp börjar balkongerna.

Småbarn väsnas i det kök som ligger över mannens huvud.

Från mörkret hade han kommit.

I det sneda rummet längst inne är rullgardinen alltid neddragen.

De båda dörrarna mestadels stängda.

Det finns två vägar att ta sig till köket ifrån det sneda rummet. Dels genom den smala hallen och dels genom rummet med klockan.

Genom hallen hade mannen gått. Hallen ljusnade långsammare.

Mannen i köket har satt vatten på gasspisen.

När vattnet kokar plockar han ur en porslinsburk fram några kronor torkad rölleka och lägger i vattnet.

Klockan fem över halv elva dricker han rölleketé.

Mannen andas med svårighet.

Han har astma och den försöker han bota dels med rölleketé och dels med uppkok på enrötter.

Men han kokar inte själv. Det är bara i dag.

I dag har han tänkt gå upp.

Efter sex år har han tänkt gå upp.

J.F. Andersson en trappa upp på Söder.

Är Andersson hemma?

På många år hade ingen frågat. På sex år har ingen frågat.

I sex år hade han halvsuttit i sin säng i det innersta rummet och han visste allting om en hyreskaserns ljud och tystnad.

Han hade andats med svårighet i sex år.

Plötsligt klär denne man på sig.

Han behåller för säkerhets skull pyjamasen under kostymen.

Mannen hämtar papper och penna och bläckhorn och han skriver ett brev på den vaxduk han inte känner igen.

Dyre vän! Jag fattar nu min penna för att skriva Eder.

Och brevet slutar i en begäran om att få kredit på en idé.

Sex år är en ganska kort tid för en bra idé.

Jag har nu legat i sex år. Barnen äro ännu inte helt vuxna. Min fru är kry.

Mannen stoppar brevet i ett kuvert och brevet skall så småningom nå Borås.

För säkerhets skull skriver han Borås, Västergötland.

Påklädd och med en idé så är mannen om inte ståtlig så åtminstone rakryggad.

Hans ögon lyssnar.

Ljuset hade han glömt. Och lukten.

I det mörka rummet brann bara det sprakande gröna astmapulvret.

I köket lyser solen på andra sidan gatan.

Försiktigt herr Andersson. Sex år är en lång tid.

Se upp! Hitler till sina föräldrars grav i Österrike.

1938 är ett dåligt år för en bra idé.

Men för all del: det finns fortfarande bananer, candysocker och riven kokos.

Den 18:e mars skriver Fredrik Böök angående det som håller på att ske i Europa: Hela detta nu välkända tillstånd kan förvisso med någon rätt kallas psykos eller en revolution men någon likhet med det som kan kallas terror äger det verkligen inte.

I det fallet är J.F. Andersson bördig från Västergötland numera stockholmare mycket bättre underrättad.

Han har räknat ut att det nu gäller för en och annan armé att marschera.

Vad händer när arméer marscherar?

Man sliter strumpor.

Mannen tänker gå in helt för strumpor. Till detta behövs kredit.

Jag fattar nu min penna och ber om kredit. Här på Söder behöva arbetarna billiga blåkläder.

Och strumpor.

Det politiska läget berörs inte i brevet. Ingen oro märks.

Jag ämnar öppna en affär kallad Västgötalagret.

Om Andersson läst Fredrik Bööks uttalande hade han förvisso sagt sig själv att läget nog mer liknade terror än revolution.

I tider av terror går det åt en helvetes massa strumpor.

Här skulle ingen tid förspillas. Han hade redan missat Abessinien, Spanien och Kina.

Mannen som nu är påklädd och med en idé i ryggraden ställer sig vid fönstret och tittar ut.

Det är som såge han världen för första gången. Som om han först nu upptäcker solen.

Den torra trottoaren.

Han upptäcker att trottoaren är torr och beslutar sig för att gå ut.

Han har ett ärende till postlådan.

Varpå han går ut.

I trappan märker han att hans ben inte äger någon större styrka men att benen bär.

Barn sitter i trappan och i trappfönstret och i porten.

Kälkar står i farstun och våta vantar ligger på elementen.

Den kalla marsluften slår hårt emot honom och han går rätt över gatan in i solen och han går sakta i det ljus han glömt.

En man med en strålande idé vandrar i solen.

En blivande millionär förutsatt att Borås ger honom kredit och att han får sälja några par strumpor till varje soldat som är tvungen att marschera i Europa de kommande åren.

Det kommer att bli krig det vet alla.

Det hedrar en affärsman att tänka framåt.

Mannen i solen är en gammal affärsman.

Redan det första världskriget hade tvingat honom till konkurs. Hans namn hade stått i Justitia.

Han hade vägrats ett lån på tretusen kronor.

På den tiden fanns det inga pengar. Det skulle alltså finnas nu.

Han tvivlade. Men brevet bar han till brevlådan.

Luften störde hans lungor.

Sakta rörde han sig.

Nu för tiden kan ett affärsbiträde inte ens göra en strut.

Mannen som rörde sig så sakta; han kunde göra strutar.

Det var nu inte aktuellt. Han skulle börja jobba i blåkläder, slitstarka skjortor och riktiga strumpor.

Här på Söder behöva arbetarna blåkläder.

Jag är hemma i Debet och Kredit.

Att han fortfarande ansåg sig som en mästare på strut hade han inte vidrört.

Vid brevlådan vänder mannen och går hemåt.

Han fryser, men väl hemma i sitt kök igen får han på grund av andnöden svett i pannan.

Han klär av sig och sätter på sig tröjan. Och han går in i det innersta rummet och ligger i halvmörkret och lyssnar till det gröna astmapulvret som sprakande långsamt brinner på ett fat.

Det skulle bli vår.

Han ler.

John Filip Andersson har börjat andas.

Försiktigt.

I morgon orkar han dra upp sin klocka.

I morgon är han bekant med köksbordets nya vaxduk.

I morgon.

Han trodde på morgondagen. Han trodde att luften skulle vara hög och klar och lätt att andas. Han skulle gå upp tidigt och han skulle gå långt.

Han skulle söka upp Herman och han skulle söka upp Nyqvist.

Han skulle andas försiktigt och med mindre svårighet.

Han skulle göra sitt liv mindre svårt.

Så småningom kanske mycket mindre svårt.

Först ett arbete.

Och sedan: Härmed tager jag mig friheten meddela, att jag härstädes etablerat mig som köpman, huvudsakligast för bedrivande av partiaffär inom blåkläder och strumpor.

Och sedan: Härmed tager jag mig friheten översända priskurant å mitt lager av strumpor, i förhoppning att densamma må föranleda till framtida affärsförbindelse oss emellan, och vågar jag försäk-

9

ra Eder om goda varor och i allo honett behandling. Rekommenderande mig i Eder benägna åtanke, har jag äran teckna.

Andersson hade en gång i tiden genomgått en kurs i upprättandet av affärsbrev.

Han kunde gamet.

Men först ett arbete och det är här Nyqvist skall komma in i bilden.

Nyqvist är åkare med egen lastbil och Anderssons före detta granne och vän.

Andersson tror sig veta att Nyqvist kör åt många firmor och företag och att han om någon. bör veta var en plats är ledig att sökas.

Andersson vet att han inte längre är ung, att han inte längre kan arbeta hårt.

Men Andersson tror på sin morgondag.

Han vet att Europa kommer att totalhaverera.

Det vet alla och hade så vetat i många år.

I många år hade tidningarna innehållit svåra frågor.

Hur länge skola borgerliga kretsar avfärda det tyska hotet med en axelryckning?

Skall Sverige deltaga?

Vad är det för ett helvete vi lever i? Vad är det för mening i att leva? Barnen tala om krig, om gasmasker, om bombplan. De vakna om nätterna och skrika av skräck för något som de inte veta namnet på. Och vi stora ligga ock vakna och tänka på dem och på hela jorden, som blivit ett dårhus, och på oss själva, som inte ha nog mod att med våra lungors hela kraft ropa ut vår protest mot vansinnet.

Vansinnet hade kommit för att stanna.

Nu hjälpte inte längre protester. Det gällde att leva med vansinnet och hålla sig själv frisk.

Andersson behövde ett arbete, inte bara för att kunna genomföra en affärsidé utan också för att bli frisk.

Han visste precis vad slags arbete han ville ha och kunde utföra.

Han ville ha ett enklare nattvaktsjobb. Eller också ett nattligt portvaktsjobb.

Ett enkelt nattarbete skulle ge honom tid att tänka och planera. Han skulle kunna sova på förmiddagen då kvarteret var något så när tyst och han skulle kunna genomföra det han planerat senare på dagen.

Nu var det inte säkert att det fanns ett sånt arbete, att det fanns arbete över huvud taget.

Stockholm hade minsann inte haft mycket att erbjuda då han kunde och ville arbeta.

Det hade varit svåra år.

Andersson hade varit i Stockholm i arton år. Sen 1924.

Bott i Huddinge och arbetat i Djursholm.

Bott på Söder och arbetat på Söder.

Ingenting annat.

Stockholmare hade han inte blivit.

Han hade en son som såg ut som en stockholmare. Han hade en dotter som såg klen ut. Han hade en dotter som såg frisk ut.

Barnrikehuset hade varmvatten och toalett.

Vägen till varmvattnet hade varit en lång och besvärlig vandring. Han bodde i barnrikehuset därför att han var sjuk.

Ordentligt sjuk kan man räknas som med minst fyra barn.

Som tre barn räknades Andersson. Han hade fattigvårdsunderstöd och man hade därför dragit in hans motbok.

Barnen åt på KFUK.

Och i matbespisningen.

Och i huset förutsatt att de band borstar på kvällarna.

Anderssons fru hjälpte församlingens sjuka. Antingen genom Sofia församlingssystrar eller genom Ersta diakonissanstalt.

Då och då arbetade hon på Danvikens ålderdomshem. I köket, och då åt Andersson det som Danviken åt.

Ändå kunde Andersson säga till sig själv att så bra som han nu hade det i Stockholm det hade han aldrig haft.

Men han hade inte kommit till Stockholm för att äta Danvikens mat. Han hade kommit för att lyckas.

Han hade kommit för att en gång kunna återvända.

För att lyckas.

För att visa.

Skändad av Justitia för tretusen kronors skull.

Skändad av Stockholm.

Skändad av arbetslöshet.

Han hade deltagit i slagsmålen om de vita lapparna utanför General Motors.

Det var efter Djursholm.

Skändad av Djursholm. Skändad av Konsum.

Han hade arbetat som affärsbiträde i Djursholm och sökt sig till ett nyöppnat Konsum på Götgatan. Han hade kommit för sent till Konsum och kommit försent tillbaka till Djursholm.

Sen slogs han om General Motors vita lappar.

Nåja, han hade i alla fall rätten att slåss om dom vita lapparna.

Han kunde uträtta. Och vad man än uträttar här i livet måste man sätta en ära i att vara bäst i det man får betalt för.

Han kunde montera bilhandtag.

Det var i situationer av lågdrift General Motors löste sitt ansvar gentemot dem som kunde arbeta genom att vid arbetstidens början kasta ut vita lappar till de arbetssökande. De som fick tag i en vit lapp fick arbeta den dagen.

För en affärsman hemma i strutar och styckningen av kött ger en halvt i slagsmål erövrad arbetsdag som bilhandtagsmontör föga tillfredsställelse.

1931 hade Andersson byggt sig ett eget korvstånd som han drog omkring med på Renstiernas gata.

Utan att göra lycka. Utan att bli millionär.

Utan att tordas återvända hem.

Därför att det var hem han längtade.

Hem för att visa att han lyckats. Att han kunde lyckas.

För att visa.

Vem?

Andersson sätter sig alltför häftigt upp.

Nu kan han knappt andas.

Vem? Inte fan läser västgötabönder Justitia. Och det var ju bara det det gällde.

En diversehandel i ett vägskäl där man en gång i tiden kunde köpa allt från en halv gris till en dynggrep.

Just det herr Andersson. En gång i tiden.

Andersson hostar och han svettas svårt.

Men inte vilken diversehandel som helst.

J.F. Anderssons diversehandel.

Den som man en gång i tiden inte ansåg vara värd ens ett lån på tretusen kronor.

Just det. En gång i tiden.

Andersson är plötsligt värd sin vikt i guld.

Härmed tager jag mig friheten meddela att jag härstädes etablerat mig som köpman.

Andersson hostar.

Borås kan inte neka honom ett lån.

Inte Algot Johansson.

Inte Algot.

Herman kände Algot.

Jag är hemma i både mottagande, emballering och försändning.

För denna befattning anser jag mig äga goda förutsättningar. Som jag har mycken lust för köpmansyrket är det min livliga önskan att få göra mina första lärospån hos Eder.

Det är icke alls betydelselöst om man skriver Schmitt, Smitt eller Smith i stället för Smidt.

Dessutom hemma i såväl Debet som Kredit.

Tidigt tänker Andersson gå ur sängen följande morgon.

Men först skall hans barn gå till skolan. Först skall hans fru gå till arbetet.

Men sen.

Sen skall Andersson skriva ånyo ett brev.

Han skall först gå till posten och sen gå långt.

Mycket mindre svårt skall han ordna sitt liv.

Försiktigt.

Försiktigt i vansinnets tid.

Man kommer bland annat att tillverka ett plan

14

som kan fälla bomber nattetid.

Mars 1938 börjar hota sig själv.

J.F Andersson hemmahörande i affärslivet och med 1938 års bästa idé tvekar.

Han har sagt sig själv att han måste ur sin säng.

Det är vår.

På hösten är hans astma värst. I dimma.

Det skulle bli sommar och det skulle bli pengar.

Men finns det pengar.

Andersson vet att det inte går att arbeta sig till pengar.

Att det inte går att vinna pengar.

Att snabba affärer är det som återstår.

Strumpor. Det skulle komma att gå åt strumpor. Och han skulle utnyttja vansinnets strumpkonjunktur.

Med ett större belopp, det talas om mellan 50 och 75 miljoner kronor, kommer vår militärbudget att ökas för att finansiera en hastig förstärkning av landets försvarsberedskap, som kan vara behövlig för den händelse krigshotet över kontinenten kommer att urladda sig.

Men därom råder ingen tvekan och det är i själva urladdningsögonblicket J.F Andersson tänker gå ur groparna.

Mellan 50 och 75 miljoner kronor.

En stor del av detta belopp bör gå åt till strumpor.

Att säljas i färdiga paket.

Nu för tiden skulle allting vara paketerat. Vad kan ett bodbiträde i dag.

Inte ens göra en strut.

Andersson känner sig stolt.

Försiktigt!

Inte stolthet herr Andersson. Det är fel år.

Om man går ur sängen.

Liggande gärna stolthet: Jämte ärade skrivelsen av den 3 dennes mottog jag faktura å pr bantåg till mig expedierade varor, vilka i dag hitkommit. Som emellertid de sända varorna genomgående befunnits vara av sekunda kvalitet, medan Ni för dem betingat pris såsom prima vara, kan jag icke mottaga sändningen ifråga, därest Ni icke är villig medgiva en skälig prisreduktion. Motseende svar härpå pr omgående, tecknar.

Men stående upprätt: Då jag på grund av rådande ogynnsamma konjunkturer tyvärr är urståndsatt att förfallodagen den 14 nästkommande oktober infria min accept å 000 kr, tillåter jag mig härmed anhålla, att Ni godhetsfullt ville medgiva omsättning därav med kontant kr 00 jämte ny accept å resterande beloppet pr 3 månader. I hopp om ben. bifall till denna min hemställan, vore jag tacksam motse tratta å sistnämnda belopp.

Andersson fryser i kallsvett.

Men det är vår och det skall bli varmt.

Ett lätt nattarbete.

Jag är 52 år gammal och gift, äger folkskoleunderbyggnad och har sedan mitt 14:e år varit anställd i Herr ...

Försiktigt!

Anderssons luftrör krymper. Han sitter upp i en ensamhet som närmar sig tystnad.

Andersson har barn.

Andersson har en son.

En som kan ta vid.

J.F. Andersson & Son.

Jag är 52 år gammal och gift samt på grund av en lätt hälta frikallad från värnplikt, men är i övrigt ...

Nå! Vadå i övrigt?

Jag har en son.

Med stöd av våra många affärsförbindelser tillåter jag mig härmed fråga om Herr Strumpfabrikören skulle vilja från början av instundande höst såsom lärling antaga min son ..., som är född den ... och med denna termin avslutar sin folkskola. Gossen har under sin skolgång visat sig flitig och ordentlig, ehuru mindre fallen för boken.

Andersson tvivlar.

Men inte bara han.

Och vad skola vi få i gengäld för ett försök, som kanske inte ens lyckas, att rädda en vacklande diktator. Ett avtal med Mussolinis signatur, som inte är värt ens det bläck, med vilket det skrivits.

Hur är det med J.F Anderssons välskrivna signatur?

Är det värt ens det bläck med vilket det skall skrivas.

Vad är det för ett helvete vi lever i?

Jorden som blivit ett dårhus.

Vansinnet sprider sig.

I Moskva håller man domedag för Lenins gamla garde.

Det ohyggliga skådespel, som nu ges inför öppen världsridå i Moskva, kommer att ytterligare fjärma Sovjetunionen från den västerländska kulturvärlden.

Det skulle gå åt strumpor.

Någon likhet med det som kan kallas för terror

skulle tiden alltså inte äga.

Hela detta nu välkända tillstånd.

Den italienska doktrinen för luftkriget är att fiendens planer måste kastas över ända, hans egen himmel behärskas och befolkningens moral undergrävas.

Tiden är mogen.

Gå nu ur sängen herr Andersson.

Tiden är kort.

Förgör inte den stora idén med ens.

Som Rickard Sandler säger: Norden är ingen Hamlet.

Hamlet-rollens pose — att vrida vrång värld i sina gängor rätt igen — får Norden avstå ifrån.

Sjuk eller inte sjuk. Andersson kan inte ligga längre.

Även om han skulle ha feber.

I vansinnets tid mätes inga temperaturer.

Härmed tager jag mig förbanne mig friheten att etablera mig.

Han måste få kredit av Borås.

Han behövde en lokal.

Han behövde en skylt.

Algot skulle förstå. Algot hade börjat från början.

Återigen går Andersson ut i sitt kök och iakttar ljuset.

Ljuset känner han igen.

Och vaxduken.

Hitler till sina föräldrars grav i Österrike.

Nyheten är inte längre ny.

Andersson värmer upp lite av Danvikens sagosoppa men han kommer inte att orka äta upp den.

Han hade inte kommit till Stockholm för att äta

Danvikens mat.

Han vet plötsligt inte varför han har kommit.

Han går hastigt tillbaka till det sneda rummet.

Han får inte längre luft.

Han halvslumrar sittande mot sina kuddar och när han andas låter det som utdragna pip från plågade fåglar.

I halvslummern tänker Andersson och hans tankar vandrar i dålig ordning som hos en ännu icke etablerad.

Tänka fick Andersson göra alldeles fritt.

Till och med grubbla.

Andersson kommer plötsligt att tänka på att Anderssons son är född exakt hundra år efter Anderssons far.

Det är som om det fattades en generation.

Men den saknas inte.

Hur långt skall nästa steg bli mellan generationerna. Nu när man snart kan framställa flygplan som kommer att kunna fälla bomber nattetid.

Man skall icke låta förleda sig att tro, att allt blir gott i världen bara man utfärdar den parollen, att nu skola alla demokratier hålla ihop mot diktaturerna, och utbreder föreställningen på någon ödesbestämd framtida sammandrabbning mellan alla demokratier å ena siden och alla diktaturer å andra sidan.

Anderssons far hade varit gårdfarihandlare efter häst och dessutom kyrkvärd.

Det var med tänderna Andersson mindes.

Andersson hade samma år fadern dött klättrat upp på en hög stege. Han hade ramlat på översta pinnen och på nervägen slagit hakan i samtliga stegpinnar.

Han var då fyra år.

Anderssons tänder hade aldrig blivit riktigt bra och han fick då och då för sig att hans oxeltänder växte.

Han filade då tänderna med en järnfil utan skaft.

Detta, hade en gång sonen sagt, är ett mycket svårt ljud för en son att höra.

I ensamhet filade numera Andersson sina tänder.

Hur långt är steget till nästa generation i vansinnets tid?

Jag tror inte, att det är någonting för oss svenskar att följa den parollen, att vi skola slåss till sista engelsman.

Barnen vakna om nätterna och skrika av skräck för någonting som de inte veta namnet på.

Men barnen visste.

I det här huset visste barnen allting. Det var Andersson övertygad om. Han hade lyssnat på dem tillräckligt länge.

Rickard Sandler fortsätter: Jag tar hellre hatten av mig för den, som menar, att vi skola slåss till sista svensk en gång man ser att våldet genombryter den internationella rättsordningen. Men jag skall be att få omedelbart göra ett mycket viktigt tillägg. Jag kan ta av mig hatten. Men det är en varm önskan att det heroiska oförnuftet, som talar så, aldrig skall betros med ansvaret för detta lands öden.

Även med friska luftrör skulle Andersson inte försöka ropa ut nån protest mot ett kommande vansinne.

20

Så gör inte en framsynt affärsman.

Andersson hade sett både storstrejker, hungerkravaller och brist och ransoneringar av det mesta.

Någonting liknande som det förra världskrigets vanvett kunde väl ändå inte upprepas?

Andersson tvivlar.

Politiskt hade han gjort sitt redan under storstrejken 1909.

Hade han inte då han låg i exercisen på Axvalla hed och soldaterna beordrats att marschera mot de strejkande arbetarna i Göteborg varit en av de få utvalda som skickats i förväg till de strejkande med följande upplysning: Får vi order om att skjuta så kan ni vara förvissade om att vi skjuter i luften.

Detta hade varit Anderssons enda politiska uppgift i livet och han hade skött den väl.

Nu hörde han då och då sin son tala om nazistkravaller på Nytorget.

Att dom stora grabbarna välte talarstolar.

Barnen visste.

Men det fanns fortfarande jordnötter, bananer och amerikanskt tuggummi. Fortfarande gick det an att säga judejävel.

Bananer och jordnötter skulle försvinna men att säga judejävel skulle gå an ännu några år.

Särskilt i det här huset.

Mitt emot detta barnrikehus låg ett stiftelsehus för fattiga judar.

Men man skulle också i detta hus vara bland de första att sluta upp med att säga judejävel.

Andersson längtade plötsligt efter sina barn. Han vill inte att de skall veta mer.

Han skulle utnyttja vansinnets strumpkonjunktur

för att skydda barnen från den grymma overkligheten.

Anderssons enorma förtjänster inom ramen av krigsbudgeten skulle ställa tryggheten på fötter.

Men först måste han själv upp på fötter.

Det svarta vägguret slår halv två. Sofia kyrka slår halv två.

Mars 1938 är inte sådan att en man med en idé kan ligga stilla mellan lakan och höra klockor slå timslag.

Först skulle han dra upp vägguret.

Detta är viktigt.

Han måste tillhöra tiden.

Sedan skulle han vänja sig vid den nya vaxdukens lukt.

Och det nya ljuset.

Hade han haft konjak hemma skulle han tagit sig ett glas.

Men han hade ingen motbok.

Detta föraktade Andersson på gränsen till hat.

Motboken föraktade han.

Hade inte han då han i sin ungdom spelade esskornett varit på fler stora bondkalas, begravningar och bröllop, än många andra. Skulle han inte kunna sköta sprit.

Motboken hade gjort att om man nu för tiden ställde en liter på bordet så skulle den nödvändigtvis drickas ur.

Förr tog man sig en varm toddy och lät litern stå om man så behagade.

Behaglig och klädd med björk hade tillvaron varit och J.F. Anderssons esskornet hade fått folk att dansa både polka och polkett.

Nu hängde denna esskornett ärgig och svartnande på en vind i en gammal bondgård i den trakt dit han längtade.

Själv bleknade han sakta i ett mörkt rum i en stad som i hans ögon aldrig stått lövklädd eller rustad till fest.

J.F. Andersson hade spelat med i en hornorkester men han hade aldrig kallat sig musiker.

Han var född affärsman.

Han hörde hemma i affärslivet.

Men det slag som världskriget utdelat mot honom, att han vägrats kredit, att han fått lämna affärslivet och att hans namn stått i Justitia, var av sådan styrka att de ryckt upp honom med rötterna ur den jord som sett honom födas och den trakt han älskade.

Att ett affärsföretag gick över ända det kunde Andersson fatta och stå ut med.

Han hade mod att börja om.

Men skadeglädje riktad emot honom det kunde han inte bära.

Inte ens tro på.

Men så hade det varit.

Inte en enda hjälpande hand hade räckts emot honom, inte ett beklagande.

Från affärsvärlden.

Tiderna sades inte vara sådana.

Andersson flydde. Flydde med hushållerskan till en anonymitet i Stockholm.

De hade gift sig.

De hade sedan skilts åt under några år. De hade ställt sig i var sin kö.

Han för ett arbete och hon för ett arbete.

Han sökte det slags arbete han trodde sig kunna utföra: Stå bakom en disk.

Speceriaffär i nån utkant.

Hon sökte det hon kunde: Tjäna andra.

Disponentvilla i nån annan utkant.

Med låsta skafferiskåp.

Detta hade kanske varit fru Anderssons svåraste tid. Låsta skafferiskåp. Att man inte litade på henne. Att man hade trott att hon på något sätt skulle föräta sig om hon kom åt.

Det fanns kanske gott om de arbeten de sökte men det fanns ännu mer gott om folk som sökte arbete.

Bondtjyvar var inte särskilt välkomna.

Liksom Anderssons tillvaro varit en lövad och med hornmusik levande ankrad tillvaro, hade fru Andersson en gång också lyft sina ben till dragspel, förd i valsen av en rödhårig dräng i en trakt hon älskade.

I en tillvaro hon trodde sig kunna fortsätta att växa i tillsammans med denne rödhårige dräng.

Men drängen hade dansat sig svettig och senare dött i difteri.

Kristina Andersson hade flyttat från skogen till en by fem mil borta och blev piga hos diversehandlare J.F. Andersson.

En diversehandel i ett vägskäl som fanns en gång i tiden.

Nu var det låsta matskåp och obegränsad arbetstid i en disponentvilla.

Tio-tolv timmars arbetsdag i de stora speceributikerna.

J.F. Andersson hade försökt räcka Stockholm

handen. Men han hade kommit försent till Konsum och försent tillbaka till affären i Djursholm.

En timme skulle han få vara borta. Han hade nästan varit borta en och en halv.

Det fanns gott om folk som ville arbeta.

Förödmjukad av Konsum.

Förödmjukad av Djursholm.

Skändad av arbetslöshet.

Och i en träkåk på Södermannagatan föds det första barnet.

Fru Andersson född Andersson hade aldrig svikit.

Hon hade sett affärsvärlden hånle åt Andersson och hon hade sett hur detta hånleende hade skurit av en mycket viktig nervtråd i affärsidkare J.F. Andersson.

Hon hade sett honom bli fattig.

Men inte nedslagen.

På flykt men inte nedslagen.

Hon kände väl till fattigdomen men hon hade aldrig sett den grym.

I Stockholm hade fattigdomen varit grym.

I Stockholm var rikedomen grym.

Hon hade liksom Andersson också en gång utfört en politisk handling genom att för ett ögonblick förstå en hel lång mening i ämnet politik.

Det är inte arbete man måste kämpa för utan vad som är viktigt att kämpa för, det är rätten att söka arbete.

Denna mening trodde hon sig förstå.

Hon hade svimmat av hunger på Skeppsbron 1928.

Hon hade sett andra människor svimma av hunger.

Hon arbetade i ett kök med låsta matskåp men varken hon eller Andersson gick ner på knä.

Först när tre barn är födda och tillvaron är något så när dräglig med ett stort rum och hall och kök i en brant backe ner mot Sofia folkskola börjar Andersson svikta.

Efter ett gästspel i fransk uniform som vakt på stockholmsutställningen 1930 återstår General Motors.

De eviga avlånga med fönster försedda permittentbreven styrde dessa år.

Permittentbrev och på glättat papper tryckta broschyrer innehållande de bilmodeller General Motors skulle lansera i landet.

J.F. Andersson, affärsmannen, sålde då och då nånting.

Japanska julsaker på jularna.

Cigarrettställ i form av en pipa som någon snidade.

Småsaker.

Till slut korv.

Men med Kreugerkraschen vissnade Andersson. Luften tog slut.

Så till den grad tillhörde han affärsvärlden.

I mitten av mars 1932 kunde Andersson knappast andas.

Han gick i säng.

I sex år skulle han bli liggande.

I samma säng men inte i samma lägenhet.

Ett stiftelsehus för barnrika familjer öppnade sin famn.

Barnen fick mat.

Hon fick arbete.

Han fick fattigvårdshjälp.

Tiderna blev bättre och bättre.

Men inte tillräckligt bra.

Världens elände låg alltför långt borta. Kina, Abessinien, Spanien.

Först, ungefär på dagen sex år efter Kreugerkraschen, är vansinnet i Europa så stort att Andersson anser sig kunna utnyttja det.

Den stora idén hade kanske långsamt mognat i honom men han visste det plötsligt.

Strumpor!

Arméer skulle slita strumpor. Och i en sån satans mängd att fick man inte lite del i den profit strumpförsäljare skulle komma att få, då var man inte längre affärsman.

Då hörde man inte hemma i gamet.

Då kunde man inte förutse.

Och en som inte på långt håll kan urskilja en kommande hög- eller lågkonjunktur, han har sannerligen inte i affärslivet att göra.

Sannerligen inte.

För denna befattning anser jag mig äga goda förutsättningar.

Hemma i såväl mottagande, emballering som försändning.

... Men det inträffade är vad många länge fruktat skulle bli slutet på en av de största spekulationer vi i vårt land känna. Följderna kunna väl ännu icke av någon överskådas. Men nog har man rätt att redan nu tala om ett nytt exempel på, hur farligt det är med den privata företagsamhet och de enskilda initiativ, som tillåtes härja på det ekonomiska området utan någon verklig samhällelig kon-

27

troll.

Enligt vad Social-Demokraten erfarit, har man vid granskning av Ivar Kreugers papper funnit att Kreuger finansierat såväl den spanska som den tyska fascismen. Sålunda har man funnit ett kvitto på 5 000 000 pesetas från kung Alfonso och ett annat på 100 000 riksmark från Hitler.

Väl hemmastadd i försändning.

En gång i tiden innehade jag ...

Inte så herr Andersson.

Du har inga minnen, du har bara en framtid.

Sluta upp att betala begravningskassan.

Sluta upp med att betala för barnen i försäkringsbolaget Framtiden.

Det är du som har en framtid.

Först en affärslokal och sen en snygg skylt.

Även i Sverige skulle arméer vara tvungna att marschera. De arbetsföra skulle kallas till gränserna.

De som inte kunde stå på vakt skulle arbeta.

Tiden skulle bli så hård att man kanske till och med skulle tvinga Andersson ur sängen om han fortfarande låg och sätta honom som nattvakt i en port till en viktig fabrik.

Det kunde tänkas, för nu kunde nästan allting tänkas.

På vissa platser i världen skulle det kanske till och med bli likgiltigt om man stavade Schmitt eller Smitt eller Smith eller Smidt.

På vissa platser i världen.

Men inte i affärsvärlden.

Det talas om mellan 50 och 75 millioner för den händelse krigshotet över kontinenten kommer att urladda sig.

Här gällde det att stava alldeles förbannat rätt om det skulle bli nån mening i det hela.

Andersson hoppades att när hans son blev så gammal att det blev aktuellt så skulle det inte finnas nånting som hette militärbudget.

Inte nånting som heter I Kronas Tjänst.

Han hade sagt till sin son att nån lump för sonens del nog inte skulle bli aktuell. Den skulle då vara avskaffad.

Det hade man visserligen sagt till Andersson också när han var tio år.

Kanske ändå.

Det kom och gick.

Som hög- och lågkonjunkturer.

I krig eller krigshot skola Edra barn växa upp.

Du, din son, hans son i evighet.

En del blevo nervösa, andra blevo affärsmän.

Strumporna fanns, det visste Andersson. Och han visste också var dom fanns.

Eller åtminstone visste han var det folk fanns som kunde tillverka strumpor.

Som kunde sticka strumpor.

I varenda bondgård i Kinds härad i Västergötland fanns det en stickmaskin.

Fabrikörerna som ägde dessa maskiner skulle snart bli stormrika.

Det visste Andersson.

Han skulle växa med dem.

Som återförsäljare skulle han göra sin profit.

Han skulle orka.

Han hade mod.

Visserligen bara en affärsmans mod.

Andersson visste att han inte hade samma sorts

mod som fru Andersson ägde.

Hon hade ett mod som Andersson egentligen inte förstod sig på.

Hennes mod liknade glädje och hon var född med denna glädje.

Hennes mod kunde inte ifrågasättas, kunde inte göras större eller mindre.

Hennes mått av mod var konstant.

Man kunde reta henne men knappast förödmjuka henne.

Om det hade hjälpt J.F. Andersson hade hon gladeligen låtit sitt namn skylta i Justitia varje halvår.

Men detta berodde inte på mod.

Det berodde på nånting affärsmannen J.F. Andersson inte var kapabel att begripa.

Fru Andersson levde efter en regel: Om någon ber dig gå med en mil så gå med två.

Men så hade hon heller inte nån kurs i upprättandet av affärsbrev.

Hon hade inte ens till fullo lärt sig nystava.

Fru Andersson var Anderssons hembygd. Men sedd såsom i en spegel.

Så som hon representerade hembygden så hade kanske Andersson aldrig sett sin hembygd.

Åtta äldre bröder hade uppfostrat honom och de i sin tur kunde minnas en gårdfarihandlare efter häst som samtidigt innehade ämbetet kyrkvärd.

Visserligen fattig men som kyrkvärd sockenpamp.

En sträng man född 1828 och som tillverkade sina egna hårda piskor av tagel och bly. Inte för att användas mot sönerna utan för att användas mot landsvägsrövare och vargar uppe i Värmlandsskogarna och i Dalsland.

En stark och orädd knalle som kunde berätta om hat och elände och hunger i slutet av 1700-talet som han hade hört det av dem som uppfostrat honom.

Han hade inte haft några föräldrar och inget ursprung.

Vad någon visste.

Från ingenting till åtta söner och en ko, ett ämbete, ett yrke och en tredjedel i en häst.

Affärsblodet flöt i denne mans ådror.

Hårt hade han hållit sin piska längs farliga ensamma vägar och hårt höll han sin Lutherska katekes över sina nio söner.

Söner i vars ådror ett nedärvt affärsblod långsamt flöt. Med ett egendomligt förakt för alla dem som inte hade detta för Debet och Kredit så lämpade blod.

Fru Anderssons mod var sådant att det inte föraktade.

Kanske hade hon i Anderssons ögon aldrig, lika litet som Stockholm, stått lövad och klädd till fest.

De hade talat mycket lite om kärlek.

Tiden tycktes aldrig mer bli sån.

Sedan 1914 hade tiden inte varit sån.

Det hade antytts i hembygden att affärsidkare J.F. Andersson hade ett förhållande med sin piga.

Men detta hade inte varit sant.

Det skulle Andersson en gång säga till sin son: Dom trodde att vi hade nåt ihop när Kristina var piga hos mig, men det, min son, är inte sant. Vi hade ingenting ihop.

Varför skulle han säga det förresten.

Sonen skulle snart, vad Andersson än sa, säga att vad han tyckte och berättade tillhörde ett förbannat artonhundratal.

Och nog kunde Andersson berätta om ett förbannat artonhundratal lika väl som han kunde berätta om slutet på ett förbannat sjuttonhundratal. Men allra helst, och det skulle han säga till sonen, ville han nog beskriva ett helvetes förbannat nittonhundratal.

Måtte ditt namn aldrig stå i Justitia.

Det gjorde kanske inte så mycket.

Men det är min lifliga önskan att du skall slippa göra dina första lärospån hos någonting som kallas för arbetslöshet.

Andersson hade en gång visat sin son första världskrigets ransoneringskort: Detta slipper du.

Det skulle sonen alltså inte slippa ifrån.

Krig och krigshot skall följa Edra barn.

I en oändlig evighet.

Såvida inte affärerna.

Såvida inte Algot förstår.

Men det finns ingen rimlig anledning för Algot att inte förstå.

Hela detta nu välkända tillstånd.

Enligt vad vi från pålitlig källa erfara ha nationalsocialisternas högste ledare, Adolf Hitler, beställt 50 000 granna uniformer mot kontantbetalning. Hitler själv har gjort utkast till uniformerna. De påminna mycket om engelska officersuniformer.

Jorden har blivit ett dårhus.

Nog finns det pengar.

Nazismen är i första hand en produkt av de fallande konjunkturerna. Utan ekonomiska kriser hade Hitler troligen ingått i historien som en Caesar i tyrolerdräkt, som gav några ögonblicks gästspel på en bayersk ölstuga.

Det finns pengar.

Det hela rör sig om konjunkturer.

Hög eller låg.

Det kommer och går.

Som krig.

Göring talar till Tredje Rikets flygvapen: Vapnet måste bilda en garanti för den tyska freden. Men jag tillstår öppet, det blir fruktansvärt, då man befaller att det skall sättas in. Då vill vi lova folket, att vi skall bli en skräck för vår angripare, att det inte kommer att finnas något som skrämmer oss tillbaka från att bli fullständiga våghalsar. Alla hinder måste övervinnas, varhelst de än finnas. Och alltid kommer ledaren att tjäna i spetsen för sin trupp. Jag vill ha män av järn med vilja till dåd i detta vapen.

Och ganska snart skulle man alltså kunna tillverka ett plan som kan fälla bomber nattetid.

Som om dagarna inte räckte till.

För första gången har den spanska befolkningen, som mer eller mindre mot sin vilja bär upp Franco, fått förnimma de för oss i vårt avlägsna land nästan obegripliga fasorna i dessa luftangrepp, som i stora delar av det republikanska Spanien och framför allt i Madrid kommit att bli vardagliga upplevelser.

J.F. Andersson kunde kanske gott sluta att betala Funebris.

Åtminstone lät det som om han utan vidare kunde inställa sina utbetalningar till försäkringsbolaget Framtiden.

Den 1:a mars 1938 hade varskott mitten av mars 1938. Men jag tillstår öppet: det blir fruktansvärt.

Det skulle alltså bli fruktansvärt.

Det piper i Anderssons bröst.

Han är plågad och han lägger lite nytt pulver på sitt fat och tänder det. Röken försöker han så gott det låter sig göra dra ner i lungorna.

Verklig astma är en allergisk sjukdom, som man aldrig kan bli hundraprocentigt fri ifrån. Men undviker man de ämnen man är allergisk mot, kan man ha det rätt drägligt. Ofta är detta omöjligt.

J.F. Andersson börjar undra vad Danviken kan tänkas bjuda på till kvällen.

I vilket fall, och det vet Andersson, är det inte den mat han har kommit till Stockholm för att äta.

Fru Andersson såg till att Andersson fick mat.

Hennes systrar i skogarna runt Åsunden skickade ofta slaktbitar, ägg och smör till henne. Det var kanske till slut dom som gjorde de första åren i Stockholm möjliga.

Anderssons bröder, de som fortfarande levde, hörde sällan av sig.

Sällan eller aldrig.

De läste förmodligen Justitia.

Eller hade det besvärligt i en eller annan lågkonjunktur.

Andersson undrade om det oroliga i tiden berörde dem.

Kanske andades de också med en viss svårighet.

Fått förnimma de för oss i vårt avlägsna land nästan obegripliga fasorna.

Till slut finns också den möjligheten, att man

kan vaccinera sig mot överkänsligheten.

Jag vill ha män av järn med vilja till dåd i detta vapen.

Man får då under lång tid insprutningar av det ifrågavarande ämnet i mycket svaga koncentrationer.

J.F. Andersson förmodar att man ändå till sist är tvungen att ta det ifrågavarande ämnet i ganska kraftiga koncentrationer.

Nej, affärsmannen Andersson skulle inte skrika ut någon protest.

Han rekommenderade definitivt vaccinering mot överkänsligheten.

Och varmt om fötterna.

För övrigt iakttar man stillsamhet, så att den sjuke ej blir irriterad.

Klockan tolv minuter i tre somnar Andersson och han kommer att sova till dess den svarta klockan i det stora rummet slår tre. Tills Sofia kyrkklocka slår tre.

Hans barn har gått direkt från skolan till KFUK för läxläsning och middag.

I Danvikens kök lagar man makaronipudding.

J.F. Andersson sover.

Han drömmer om loppor vilket enligt fru Anderssons sätt att tyda drömmar betyder pengar.

Skulle han däremot drömma om pengar betydde det snar olycka.

Han drömmer därför inte om pengar.

I sömnen gnäller Anderssons luftrör.

Djupt sover Andersson. Uttröttad.

Klockan tre vaknar Andersson våt av svett.

Han kommer att bli tvungen att byta underskjorta.

Vädret är nu grått och det halvregnar.

Ett lågtryck påverkar Anderssons tänkande och andning.

Ett lågtryck på väg.

Klockan fem över tre ringer det på dörren och Andersson öppnar i undertröja och fuktiga pyjamasbyxor.

Anderssons äldsta dotter kommer hem och hon är blek och hon har feber.

I sällskap har dottern en skolsjuksyster som stillsamt förklarar för Andersson att dottern måste till sjukhus då man har skäl misstänka scharlakansfeber.

Hon säger sig också ha ringt KFUK och bett att Anderssons son och yngre dotter skickas hem.

Klockan kvart i fyra hämtar en gråmålad epidemivagn de tre barnen och kör dem till epidemisjukhuset för observation.

Andersson hade klätt på sig.

Han hade bytt barnens kläder och de hade färdats söndagsklädda. Han hade lyckats leta upp rena nattkläder åt dem och gett var och en av barnen tre kronor.

Tvätta barnen behövde inte Andersson. De skulle få bada på sjukhuset.

När barnen åkt sätter sig Andersson på sin pinnsoffa i köket.

Han skall bli sittande så, förstrött bläddrande i Nya Dagligt Allehanda, till dess fru Andersson kommer hem.

Barnen ligger på observation skulle han säga.

Fru Andersson skulle nicka.

En fjärdedel av barnantalet i huset låg på observation.

I en och en halv timme är Andersson tvungen att sitta, vänjande sig vid en påklädd tillvaro.

Före fem kommer fru Andersson inte.

Andersson tänker. Han förutser.

Han anar, fullt riktigt, att den äldsta dottern kanske har ärvt hans astma. Att ett kommande lågtryck påverkar hennes hållning.

Att hon inte har scharlakansfeber.

Däremot kan det mycket väl tänkas att de två yngre barnen har scharlakansfeber.

Andersson skulle försöka få sin äldsta dotter att förstå: till slut finns också den möjligheten att man kan vaccinera sig mot överkänsligheten.

Förresten när den äldsta dottern blev aningen äldre skulle medicinen ha gjort sådana framsteg att astma var ett obetydligt problem.

Anderssons tre barn hade haft engelska sjukan. Nu fanns av nån anledning inte längre engelska sjukan.

Det var i vilket fall vad man påstod.

Spanska sjukan fanns i vilket fall inte.

Vad skulle det nya kriget bjuda på för fasor nu när varken engelskan eller spanskan fanns.

Scharlakansfeber tog tid men var inget problem.

Tuberkulos var snart inget problem.

Snart skulle det inte finnas några problem.

Andersson börjar orka.

Han går in i det stora rummet och ställer en stol under klockan. Kliver upp på stolen och med en liten vev drar han först upp urverket och sedan slagverket. Som utförde han något betydelsefullt.

Klockan hade Andersson köpt begagnad och han var egendomligt fäst vid den.

Han mätte sin kropps krafter på denna klockas fjäder.

Eller också kom han, utan att han var medveten om det, ihåg en resande kyrkvärd som strängt drog upp en liknande så kallad amerikansk klocka. En klocka som en emigrant skickat hem.

Så länge han kunde dra upp klockan så höll han i trådarna. Bestämde familjelivets tempo.

Det hände att han inte orkade.

Då drog fru Andersson upp klockan.

Till och med barnen hade dragit klockan.

I vilket fall gick alltid klockan. Med eller mot Anderssons vilja.

Den svarta klockan tickade som en inställd bomb och den slog hel och halvslag på ett ganska ondskefullt sätt.

Klockan kunde ibland driva upp sin egen takt.

Väktare, vad lider natten?

Det är Kina som stillsamt frågar.

Och hur går det till sist med alla övriga heliga internationella fördrag? Låt oss tänka oss, att alla viktigare internationella fördrag kränks, att våldets gudar skriver sina egna lagar och den dubbelbottnade diplomatin får fortsätta driva gäck med sanningen.

Väktare, vad lider natten?

Är det verkligen en fråga att ställa våren 1938.

Mot högkonjunktur skulle världen gå.

50 000 granna uniformer hade Hitler redan beställt. Det hade bara varit början.

Och nån tjänade på affären.

Kina fortsätter:

Jag kan tänka mig in i mitt eget lands öde, men jag vågar inte tänka, hur det skall gå för Europa, om de fördragstrogna makterna även i det följande ämnar falla till föga, så snart en angripare stövlar upp över horisonten.

Men undviker man de ämnen man är allergisk mot, kan man ha det rätt drägligt.

Tyskland: Mot van Gogh talar hans sinnessjukdom, Mathias Grünewald måste sägas vara i avsaknad av heroism och lida av arvsyndspsykos. Rembrandt, slutligen, har blivit Ghettons målare, en benämning som är en skam för Tyskland i dag.

Vi förkasta Ghettons målare Rembrandt, sade hr Hansen.

Mot J.F. Andersson talar hans astma.

Men för J.F. Andersson talar hans förmåga att förutse och hans vilja till resultat, nu när idén slagit rot i hans av brevkurser skolade affärshjärna.

Fru Andersson skulle inte bli särskilt förvånad över att barnen låg på observation.

Men J.F. Anderssons förhoppningsfulla blå ögon och raka rygg skulle förvåna henne.

Nu, Kristina, ämnar jag etablera mig och öppna affär.

Fru Andersson skulle förstå. Hon visste att Andersson hörde hemma i den värld där man idkade handel i bod.

Men hon visste också att Andersson, mästare på strut, hörde hemma i den sorts mjukare affärsvärld som nu hade sett sina sista dagar.

En affärsvärld där man prutade och köpslog om inte annat så för att få tiden att gå.

Fru Andersson var tyst förvissad om att det inte gick till så nu för tiden.

Att det inte längre gick an att pruta.

Att man sa sitt pris och sedan vände ryggen till.

Hon skulle säga att hon hört att det kanske snart skulle bli svåra tider.

Kanske krig på nära håll.

Just det, skulle Andersson säga. Det är det enda sättet att lösa lågkonjunkturen och arbetslösheten i de stora industriländerna.

Endast en blygsam del av profiten vill jag ha.

Det skulle vara ett sätt att delta i tiden. Höra ihop med nånting.

Nästan som att återigen slå rot.

Ingenting kan bli sämre än det redan är. Det hade man sagt om tiden länge.

Desperat och kritiklöst följer den ett brokigt och larmande marknadsgyckel, emedan ingenting kan bli sämre än det redan är, på samma sätt som en av de bästa läkare utdömd patient till sist finner vägen till kvacksalvaren, vilken rekommenderar den kräftsjuke att bära en valnöt i fickan.

Alla hoppas — ingen frågar.

Om Andersson hoppades skulle fru Andersson ingenting fråga.

Jo, man har fått lära sig ett och annat om vad europeiskt civiliseringsarbete vill säga.

J.F. Andersson tror på en högre luft.

Här hemma på Söder där arbetarna behöva slitstarka blåkläder.

Till Schweiz skulle han inte ha tid att resa.

Jag ville gärna resa. Dessvärre ser det inte ut som om jag någonsin skulle få tid till det ...

Der Führer ser ut genom fönstret, hans tankar förefalla vara långt borta då han säger: Ja, jag önskar verkligen att jag kunde få resa ...!!!

J.F. Andersson skulle få kredit.

Det fanns pengar. I massor.

I otroliga mängder.

Men det hade det också funnits under världskriget.

Det har beräknats av nationalekonomer och statistiker att världskriget kostade USA 52 000 000 000 dollar. Av denna summa åtgingo 39 000 000 000 för krigsoperationerna. Dessa utgifter gåvo en profit av 16 000 000 000 och visa varifrån USA fick sina 21 000 nya miljardärer och miljonärer.

Dessa utgifter gåvo en profit.

Så skulle det låta.

Om man satsade en aldrig så liten summa skulle man få vara med och dela profiten.

Algot skulle förstå.

Han skulle förstå att J.F. Andersson återinträdde i affärslivet efter ett moget övertänkande. Och att han gjorde det med tanke på sin familj. Sina barn.

Hade han inte en son.

En son som skulle komma att ta vid.

Som skulle få en rejäl start.

Ändå tvivlar Andersson.

Vem betalar dessa kostnader, frågar en amerikansk general.

Och svarar: Folket, skattebetalarna.

Men, tillägger han, soldaterna få betala den största delen.

Vid en nyligen företagen inspektionstur besöktes 18 av statens sjukhus för krigsinvalider. I dessa anstalter funnos 50 000 män vilka för arton år sedan utgjorde USA:s prydnad. Dårhuset Marion, Indiana, hyser 500 män inom galler. De äro mentaloduglige och dessa, före detta soldater, se icke ens ut som mänskliga varelser.

Som soldat misstänkte jag ofta att kriget var en stor humbug.

Som affärsman misstänkte jag ofta att profiten var en stor humbug, men icke förrän jag dragit mig tillbaka från aktiv tjänst kunde jag tillfullo förstå det.

J.F. Andersson skulle återinträda i aktiv tjänst.

Han tordes.

Kriget skulle nog inte ta längre tid än scharlakansfebern gjorde.

Bomber på nätterna.

En herr Messerschmitt, -smitt, -smidt eller -smith höll världsrekordet i hastighetsflygning på något över hundra kilometer i timmen.

Barnen äro icke helt vuxna, min fru är kry.

Barnen är satta i säkerhet på ett här i staden liggande epidemisjukhus.

Jag har tröttnat på Danvikens mat.

Dårarna har övertagit dårhuset.

När Italien nu undertecknade den tysk-japanska pakten har dess understöd åt de spanska rebellerna antagit karaktären av ett verkligt krig, och Japan har med åberopande av antikommunistpakten och med Mussolinis i Tokyo officiellt framförda gillande överfallit Kina med krig.

Själv har jag legat i sex år men är nu fullt påklädd.

Jag är här i staden bekant med såväl Herman

som Nyqvist.

För ovanstående förbindelse å Fyrahundra kronor jämte ränta gå undertecknad en för båda och båda för en i borgen såsom för egen skuld.

Till Algot betalar undertecknad vid anfordran en denna dag lånfången summa, stor Ettusen kronor, jämte sex procent årlig ränta därpå, tills betalning sker. Full valuta bekommen, som försäkras.

Herr J.F. Anderssons egenhändiga namnteckning bevittna.

Herman och Nyqvist.

Det fanns inga andra.

Herman kände Algot.

Jag är nu fullt påklädd.

Med en mindre kredit beredd till försörjningsplikt.

I detta avseende föreskriver Lag om fattigvården följande: Föräldrar äro pliktiga att utan fattigvård-samhällets betungande försörja sina minderåriga barn. Enahanda försörjningsplikt åligger man gent-emot hustru.

I övrigt åligger det föräldrar och barn att i mån av behov, å ena, samt förmåga, å andra sidan, försörja varandra, så att de ej falla fattigvården till last.

Jag ämnar ej mer falla fattigvården till last.

Jag tänker etablera mig och återkräva min mot-bok.

Det skulle kanske dröja ända till klockan sex innan Andersson får resa sig från sin kökssoffa och efter att ha ätit några skedar makaronipudding återigen överlämna sig själv till det sneda rummet och affärskalkyler.

Fru Andersson har gått direkt från Danviken till

judekåken.

Fru Krik skall också få sin del av dagens rätt.

Fru Krik är gammal och fru Andersson hjälper henne nån timme om dan på församlingens bekostnad.

Fru Krik är sextiofem år och odessajudinna.

Hon är inte mer än ungefär en och trettiofem hög.

Fru Andersson är heller inte stor.

Fru Krik är för fru Andersson det utlandet har att bjuda och utlandet och hemlandet blir för fru Andersson alldeles detsamma.

Fru Krik talar dålig svenska.

Fru Krik hade tvingats fly Odessa 1905 och över Wien och Paris hade hon så småningom hamnat i ett fattigkvarter på östra Söder.

Fru Krik är den äldre och den mest hjälplösa.

Fru Andersson ger henne mat.

I gengäld för hjälp har fru Krik givit fru Andersson ett par vigselringar i brett guld.

Ingen av dem hade några rötter. Men fru Andersson hade barn.

I arv skulle ringarna gå. Fru Krik kom undan 1905. Nu skulle hon inte komma undan.

Men ringarna skulle komma undan.

I många år hade fru Andersson hjälpt fru Krik.

Herr Andersson åt då och då judisk mat och judiskt bröd.

Och fru Krik åt det Danviken bjöd.

Detta år beredde sig judehuset för svåra tider. Till och med rika judar med barn och skoaffärer flyttade in i huset. De visste vad som komma skulle.

Fru Andersson visste. Efter påsk har det tyska

44

folket kunnat äta sina ägg med tryggt samvete. Efter påsk har man full visshet att äggen gått genom uteslutande ariska händer.

Detta är vad lantbruksministern Darré lyckats åstadkomma på tre år — så mycket mer anmärkningsvärt som ägghandeln i Tyskland tills bara för ett par år sedan beräknades ligga till cirka 94 procent i judiska händer.

Ett par år sedan måste ha varit olympiaden år 1936.

Nordahl Grieg talar till Sven Hedin: Låt Europas stämma ljunga mot rashatet! Om en förrådd idé hyllas, då talar Europa med en kräftsvulst i strupen. Vi ber Er, Sven Hedin, att tala med klar stämma.

Glokar Well talar i stället med klar stämma: Och så är han så anspråklöst enkel och hjärtans mänsklig i sitt uppträdande, så äkta tysk i sin fula konduktörsmössa och sina klumpiga korpralstövlar, att man känner igen sig och trivs med honom.

Ett par år sedan är mycket länge sedan.

Barnrikekvarterets arbetslösa tog då och då ut sitt hat och riktade det mot judarna.

Det gick an 1938.

Det skulle gå an till dess judehuset började hålla bazar och sälja lilafärgade smycken tillverkade av bröd i Belsen och Auschwitz.

Odessa vid Svarta havet och Grönahög socken i Älvsborgs län låg under några svåra år grannar med varann.

Mycket blev nog inte sagt.

Odessaguldet skulle gå i arv.

Därför att såsom det är inrättat är det inrättat.

Det gällde att vara belåten. Rädda vad som räddas

skulle.

Med en gemensam önskan att inte med söndervärkta leder leva för länge.

Fru Andersson och fru Krik stod på en fast botten.

Flyktingar.

En bondjävel och en judejävel bjöd varann till bords.

Utan bitterhet.

Det gick knappast an 1938.

Europa viskade med en kräftsvulst i strupen.

När Badoglio har en konferens med Mussolini känner han sig som er general Pershing skulle känna sig om han blev instängd med er Capone.

Det vet vi alla, signor.

Alla vet.

Barnen vet.

Sex veckor på epidemisjukhuset, det trodde Andersson, skulle för barnens del kanske vara nyttigt. De skulle få vila från overkligheten och det de visste, och lära sig en bit verklighet.

Ett vardagsliv.

Sjukdom tillhörde vardagslivet.

Han skulle åtminstone ett par gånger i veckan lämna dem frukt.

Han skulle ha tid till det.

Besök skulle barnen inte få ta emot.

Dessutom skulle fru Andersson också få vila. Hon skulle få det lättare under några veckor.

De skulle få tid att gemensamt diskutera en framtid.

De hade inte några minnen.

Bara en framtid.

Om Europa tillät.

Världen rustar som aldrig förr. Vad det kostar vet ingen, men att det kostar råder det ingen som helst tvekan om.

Inte heller går det numera att intala sig att även i händelse av nederlag kommer allt i stort sett att bli vid det gamla.

Världen rustar som aldrig förr.

Det var vad affärsmannen J.F. Andersson anat.

Affärsmannen småler och nickar.

Hur mycket som förslösas aktar man sig för att tala om.

Andersson nickar. Det där känner han till.

Andersson kommer snart att somna med huvudet på den nya vaxduken.

Trygg i vansinnets tid.

J.F. Andersson har gjort upp ritningarna för den nya tiden.

Europa siar om sin framtid:

Det blev andra män vid högtalarna och en annan hand som tog det första spadtaget, inte vid uppförandet av jättebyggnader utan vid uppröjning av ruinerna.

En dag i mitten av mars 1938 lider mot sitt slut.

Väktare, vad lider natten?

Det vet vi alla, signor.

Stillsamt väcker fru Andersson sin man.

Hon vet redan att barnen är borta. Fru Krik hade sett epidemivagnen.

Fru Andersson är trött.

J.F. Andersson är trött.

De sitter stillsamt på soffan och lyssnar till köksklockans tickande.

I frid oroande sig för sina barn.
I fred.
På gatan spelar sextio pojkar bandy.
En radio i huset spelar Lambeth walk.

Stråkar

Det gör mig ont om bina. De stridande arméerna har farit hårt fram med dem. Det finns inga bin längre i Volynien.

Det måste ha varit för länge sen. Min mormor levde och hon var den första som dog.

Det måste ha varit bärtid. Man kokade bär. Det var alldeles för varmt i köket.

Det var varmt ute. Det stora kökets vitlimmade tak var svart av flugor.

Man smälte toppsocker, man spolade garn. Man sömmade vantar, sockor eller tröjor. Man stickade. Man värmde pligg.

Svartklädd spolade min mormor garn med en vaxbit i ena handen.

Garnet skulle vaxas och maskinknutar knytas om.

På sofforna i köket låg garn i härvor, spolar med garn, osömmade sockor, broderade vantar.

Det luktade sockerlag, saft och ylle. Ylle och vax och lack och ylle.

Bär och gran.

Morsans barndomskök.

Morsan opererades för struma.

Mina systrar befann sig på Edesta barnhem. Och jag satt på vedlåren i mormors kök.

Det måste ha varit för länge sen. Min mormor dog för länge sen.

Det var ett vackert kök. Det var ett flitigt kök och där fanns många flugor.

Jag hade fått pappersbitar med honung som jag skulle försöka lura flugor att fastna på.

Korta runda vackra kvinnor arbetade som man hör berättas att tomtar arbetar.

En stickmaskin för grovt ylle höll takten och i denna takt blandades rasslet från spolverket och hammarslag från en intill kammaren liggande skomakarverkstad.

I skomakarverkstan pliggade min morfar stövlar. Då och då kom han in och rörde i pliggburken på spisen.

Kvinnorna gick barfota, morfar i kängor.

På golvet lekte en kattunge med garntussar.

I kammaren låg knyten med vantar som skulle sömmas eller broderas.

Det som blev färdigt av det som tillverkades i köket bar man till det svala finrummet och la det på ett blått kläde. Till finrummet fick man annars inte gå. Nån enstaka gäst drack kaffe i det rummet. Det var mest fotografier av bröllopspar och beväringar i trekantiga hattar.

Ett porträtt av morsan som ung hängde på väggen.

Fotografier och krukväxter, vaser, silverbrickor och porslinsdjur.

En svart gungstol.

Så noggrann var man med det slutförda arbetet att man placerade det i det finaste rummet.

Så småningom skulle det blå klädet vikas om vantar och sockor och sändas till fabriken.

Början till en textilfabrik skulle finnas i byn. Men det fabrikören mest levde på var vad som uträttades i hemmen. Han höll med stickmaskin och garn.

Att tjäna sitt levebröd på att sticka var inte föraktligt ens för en man. Till och med unga bönder med lite djur lärde sig sticka.

Mycket betalt fick man nog inte men man fick betalt.

De som inte kunde lära sig sticka sydde eller broderade.

Man specialiserade sig. En del stickade grova sockor, andra finare strumpor. De skickliga stickade tröjor. De allra duktigaste stickade varuprover och modeller.

Stickmaskinerna sjöng i Sjuhäradsbygdens skogar och ingen anade var detta skulle sluta.

Vid denna tid spådde man kanske inte fabrikören nån större framtid. Fabrikören var fortfarande en av dem.

Man anade inte den enorma industri som skulle växa upp och totalt förändra bygden. Till textilindustrin skulle barnen gå.

Man trodde fortfarande på jordbruk i smått. Att äga jord var viktigare än ett industriarbete. Och i min morfars knastrande kristallmottagare hörde man mer på väderleksrapporten än på nyheterna.

Man misstrodde bådadera.

Skomarkarn hade lite jord och han hade två kor. Han hade fjorton barn.

Fem döttrar och en son var fortfarande hemma.

Min morfar hade vitt hår och ett stort blått födelsemärke i ena tinningen. Han läste bibeln och han åt alltid med träsked ur en spilkum.

Han tilltalades med I eller I far.

Han hade varit i Stockholm i slutet av seklet och han varnade mig ständigt så liten jag var för att någonsin besöka Mosis backe på Söder.

Han misstrodde väderleksrapporten och hörde han talas om nån egendomlig utrikespolitisk händelse svarade han med ett bibelcitat som slutade: Och till slut skola människorna äta sitt eget träck.

Han trodde på jordbruk och hantverk. Han kunde förstå hemmastickningen men inte fabriken.

Och om nu fabriken verkligen skulle slå rot så skulle snart inte fabrikören vara en av dem.

Att hans magra vallar en gång i en snar framtid skulle planteras med skog tänkte han sig inte och det fanns heller ingen anledning att tänka sig det.

Allra minst skulle han kunna tänka sig att fabrikören skulle vara den som bestämde detta.

Morfar hade två kor och en gris. Några höns.

Gräs, potatis, rovor och havre.

Han vårdade vad han ägde ömt men strängt.

Han gillade inte att ha ylle i finrummet.

Han såg på mig och rörde i sin pliggburk.

Ett av stadens barn som skulle gå under på Mosis backe.

I en snar framtid då människorna skulle tvingas att äta av sitt eget träck.

Och skölja ner det med Smithens brännvin.

Kristinas son.

Kristina som gift sig med en handelsman två

socknar härifrån.

Som bodde i en grym storstad.

På själva den stadsel där Mosis backe ligger.

Så långt borta var inget av de andra barnen.

Men på vedlåren satt Kristinas son kladdig av honung, röd av värme.

Jag satt på vedlåren och glodde. Det jag såg trodde jag var ett oföränderligt liv och en oföränderlig flit.

Så hade det alltid gått till på landet, så skulle det alltid gå till.

Jag trodde inte att min lilla hopsjunkna svarta mormor någonsin varit yngre. Eller skulle bli äldre. Allra minst försvinna.

Jag trodde inte att min morfars händer darrande skulle lyfta sin träsked och till slut bli liggande.

Att mina mostrar skulle gå en svår ensamhet till mötes då de så småningom inte orkade och aldrig, aldrig att träd på en fabrikörs order skulle planteras på de så strängt men ömt vårdade vallarna.

Jordbruket skulle få ett skenbart uppsving under de kommande krigsåren. Småbönderna skulle känna sig betydelsefulla som försörjare av stadsbor och inkallade.

Men mest av allt skulle textilindustrin få ett oanat uppsving. Och när fred återigen skulle råda hade jordbruket gjort sitt och textilindustrin förändrat trakten.

Tiden blev modern på sex år.

Bönderna skulle under kriget för en kort period ha ett övertag över fabriken och de skulle säga sig själva att tar bara kriget slut så blir det också slut på fabrikörens lättlevda sötebrödsdagar.

Bönderna räknade fel.

De hade räknat med sina barn.

Vid krigets slut skulle textilindustrin inte bara behöva böndernas barn. Den skulle kunna sysselsätta utlänningar och flyktingar, till och med av judisk börd.

Det hade man ändå inte trott.

Åren före kriget hade Manufakturisternas Tidning inte skytt några som helst ord då det gällde att varna för utlänningar och judar.

Signaturen Kalle i garnbon skötte denna öppna hatpropaganda.

Ökensångarna måste stoppas och ökensångarna var framför allt flyktingar från Wien av judisk härstamning.

Utvecklingen skulle gå snabbt.

Bönderna i Sjuhäradsbygden skulle inte ens förundrade titta på ett flygplan och säga att det där är nog Ahrenberg, eller också den förbannade spökflygaren.

Yllet skulle stå de fria bönderna upp i halsen.

Bönderna skulle kvävas.

Bondens hustru skulle aldrig mer gå in i en ladugård. Och varför skulle hon det.

Pengar fanns att tjäna inom stickningen, mer pengar än man trott. Bonden skulle till och med bli tvungen att köpa sin egen mat.

Denna flitiga varma dag anade man ingenting av allt detta.

Allt såg ut att ordna sig. Livet skulle bestå sådant det var och alltid hade varit.

Kristider hade bönderna känt men deras kristider kunde inte ens jämföras med kristiders härjande i stora städer.

Under kristid skulle det på landet finnas åtminstone en liten trygghet.

Jag hör talas om Titanics undergång och någonting omänskligt som hände i de Masuriska träsken.

Jag hörde tragiska sånger där brev skrives med blod.

Min mormor berättade om sin farmor. Hur liten världen var. I början på 1700-talet.

Händelser och människor som beskrevs i morsans barndomskök beskrevs utan någon som helst förvåning och utan klagan eller hat.

Jag hörde aldrig ett ont ord.

Vad som hänt på Mosis backe behöll morfar för sig själv.

Det gick inte an att fråga.

Jag hörde talas om någon i trakten som en gång begått ett mord. Hur han flytt de sex milen till Jönköping och aldrig kunnat bli fast.

Sex mil hade varit ett oändligt avstånd.

Det mänskliga eländet kunde beskrivas men det kunde inte göras något åt.

Det stöd man behövde i livet kunde endast vinnas genom arbete.

Bibeln var böckernas bok och vilddjurets tal var 666.

Under kriget skulle man hitta på ett sätt att få detta tal att stämma med namnet Hitler.

Ännu hade man inte hört talas om Hitler.

Ännu visade tiden inga tecken på att snabbt vilja åldras.

Ännu skulle tiden inte vara piskad att äta av sitt eget träck.

Det här måste ha varit mellan slåtter och skörd. Morfar tillät inte stickningen att hindra utearbete. Till ladugården gick också flickorna. Den gamla bondestammen nedlät sig inte till att mjölka kor.

Man kärnade smör, man bakade hemma. Man saltade in fläsk. Dessa sysslor utförde man på ett alldeles självklart sätt. Som om man skulle få fortsätta med det.

Livet på landet var möjligen trist, men det såg inte trist ut.

Senare skulle det se trist ut.

Inga barn, inga unga, inga djur.

Min morbror skulle ta vid jordbruket efter morfar. Han hade planer. Han skulle nyodla. Skaffa nån ko till. Pröva med vete. Och på så sätt slita ut sig i total ensamhet medan stickmaskinen sjöng allt högre och högre. Och allt längre och längre på kvällarna då elektricitet dragits in.

Än så länge var det roligt. Stickningen var en extrainkomst och extrainkomster hade inte förut förekommit.

Arbetstakten skulle drivas upp. Och de som av trötthet eller ålder inte lät sin takt drivas upp skulle bli sittande med de grövsta maskinerna och det sämsta garnet.

Men de skulle hänga med. Det fanns ingenting annat att hänga med i.

Till och med rätt gamla bönder skulle ångra att de inte gått till fabriken då de kunnat. Allt arbete med jorden hade varit värdelöst.

Man skulle välsigna fabriken och man skulle bocka för disponenten.

Fabrikören skulle ha dragit sig tillbaka från ett

direkt deltagande i fabrikslivet. Han skulle tillbringa dagarna med att vandra genom småböndernas före detta skogar som han nu ägde. Han skulle personligen märka ut de träd som skulle fällas.

En och annan dollar anlände då och då i amerikabrev till mormors kök och sparades i en särskild låda i finrummet och växlades antagligen aldrig in.

Med den nya tiden skulle amerikabreven innehålla konstiga meningar: Jag hopas att min sonson Emile aldrig blir draftad.

I det saftvarma köket på denna flitiga dag knackar det på dörren och min farbror stegar in.

I köket vet man kanske inte vem denne farbror är men morfar känner honom.

Morfar och farbror var nästan lika gamla.

Garn plockas undan och förkläden byts och i finrummet dukar man för kaffe. En liter ställs på bordet.

Han hade kommit, säger han, min farbror, för att hämta mig. Så att jag skulle kunna vara hos honom och hans syster någon tid.

Detta är min farsas äldsta bror.

Han hade cyklat hit. Han hade cyklat genom skogen på den nedlagda och närmast igenvuxna gamla vägen.

Jag skulle få sitta på pakethållaren på tillbakavägen.

Mot detta var inte värt att invända. Jag tvättades och kläddes ren. I finrummet talade morfar och farbror med varann och hörde sig för hur de gamla hade det i socknarna.

Min farbror kom två socknar härifrån.

Sedan gick man ett par varv runt potatisåkern,

sa adjö, och min farbror cyklade iväg med mig på pakethållaren.

Jag såg denna dag en bit av Kinds härad.

Det var inte med nån större glädje som jag lät mig tvättas och kläs fin.

Jag trivdes i mormors kök.

Jag trivdes med mina mostrar och lukten av ylle och bär.

Detta kök var ett äventyr. Och jag trodde att jag skulle sakna de berättelser som är så mörka att det slår lock för ens öron.

Skulle min gamla farbror kunna bjuda ett äventyr. Eller min gamla faster.

Min farbror såg inte sträng ut och han var inte heller sträng. Och han cyklade denna dag som en ung pojke som var på väg hem med en valp.

Den väg han cyklade hade ingen likhet med landsvägen. Vi cyklade genom sädesfält och gårdar. Förbi två prästgårdar.

Om min mormors hus låg i skogen så låg min farsas barndomshem ännu längre in i skogen.

Vi hade cyklat länge och kom så småningom ut på den riktiga landsvägen, från landsvägen tog vi av genom en allé mot en stor bondgård. Från den stora bondgården färdades vi gående på en krokig stig igenom en kall skog.

Vi passerade en märgelgrav och kom ut i ett blommande linfält.

Över linblommorna skymtade boningshuset som låg på krönet av en kort brant backe och backen sluttade ner mot en lagård. Snön hade nångång knäckt lagårdsnocken.

I lagårn bodde två kor och höns.

Min farbror odlade lin för att han tyckte det var vackert.

Min faster skötte djuren.

Det var min äldsta farbror och min enda faster.

Kanske hade min farbror fått mycket lite av släktens affärsblod men han hade ärvt något utav kyrkvärdens stolthet.

Min farbror kallade sig själv trädgårdsmästare.

Och han var trädgårdsmästare.

Han skötte gravarna vid kyrkan och han skötte kyrkogårdens häck, prästgårdens rosor och ålderdomshemmets sparsamma lupiner.

Själv hade han mitt i den iskalla skogen anlagt en trädgård med utländska och sällsynta växter och märkvärdiga fruktträd.

Hur detta var möjligt på denna plats är en gåta.

Han hade hämtat mig för att introducera mig till trädgården som om han ville att jag skulle överta den.

Han kanske ville det.

Men bonden i det stora huset skulle inom en inte alltför avlägsen framtid överta både lagård och hus och riva byggningarna. Den märkvärdiga trädgården skulle växa igen och endast silvergranar skulle utmärka denna plats.

Min farbror rökte pipa och han vilade middag.

Han vilade middag på vinden under min farsas esskornett.

Min faster sprang upp och ner, upp och ner i backen mot ladugården.

Jag satt i kammaren och tittade på porträtt av kyrkvärdar, prostar och klockare.

Jag skulle inte kunna överta nån trädgård. Jag

skulle inte kunna hindra ålderdomshemmet att hämta både farbror och faster.

Allting i min farbrors hus var gammalt. Ingenting var nytt.

Min farbror talade till mig som om jag varit vuxen. Han tyckte om mig. Inte bara för att jag var hans yngste brors son utan kanske mest för att jag var släktens ende son. Den ende som skulle kunna föra det anderssonska affärsblodet och den egendomliga stoltheten vidare.

Han var den äldste. Jag den yngste. Och vi följdes åt. Till kyrkogården, till prästgården, till ålderdomshemmet.

Ofta hamnade vi i något av ålderdomshemmets små kamferdoftande rum och blev där sittande lyssnande till en åldrings ensamma berättelser, tidiga ungdomsminnen och bleka amerikaår.

Det verkade som om var och en på ålderdomshemmet bara tillåtits ta med sig en byrå.

På byrån låg en klädborste och en glasburk med kragknappar och inne i byrån fanns skjortor och strumpor och i silkespapper invirade småting. Lite snus, hårda karameller och nån gång brännvin.

Jag fick karameller men hade säkerligen fått både brännvin och snus om jag frågat. Jag var en märkvärdig pojke.

Jag var förre handlarens son. Han som rest till Stockholm och där bland annat arbetade åt industrin inom bilbranschen.

Jag påstods ha ett gott huvud och som stockholmare skulle jag ha nära till skolor.

I Stockholm och skolor låg framtiden.

Det trodde man inte på i mormors kök, men min

farbror trodde det.

En annan bror till min farsa som jag träffade hade varit i Stockholm. Han hade tillsammans med Oscar II varit bland de första i landet att låta sig opereras för blindtarm.

En långvarig affär på den tiden och farlig.

Operationen hade efterlämnat ett långt ärr och dessutom ett outplånligt minne av en i alla avseenden vänlig stad.

Oscar II hade hälsat på honom på sjukhuset.

Konungen hade tagit honom i hand och sagt nånting kärnfullt.

En som hälsat på Oscar II blev sig aldrig riktigt lik igen. Och denne farbror hade inte bara hälsat på konungen, han hade genom att låta kirurgerna träna på honom offrat sig för konungen. Både min farbrors och konungens operationer hade varit lyckade.

Denne min farbror hade av Stockholm blivit uppmärksammad och nästan hyllad. Han kunde så här långt efteråt beskriva sjukhuset, sjuksköterskor och läkare och han kunde deras namn.

Han berättade hur han med tårar i ögonen och nyss utsläppt från sjukhuset suttit på en krog mitt emot Centralen och bjudit den rosakindade mälardrottningen farväl.

Detta var denne farbrors enda berättelse, men den räckte. Han berättade långsamt, med pauser och sidodetaljer, och det var inte tråkigt att höra på.

Min faster sa aldrig mycket. Hon hade kokat och tvättat åt alltför många bröder.

Jag tyckte mycket om henne.

Hon separerade husets lilla mjölkskvätt i lång klänning med hög hals och hon måtte ha varit stark som en björn. Hon bar mycket vatten.

Katten kom in då separatorns klocka slutade ringa och grädden kom.

Vi åt salt smör och nybakat bröd och det, sa hon, kändes likadant som att vara nyförlovad.

Även i denna socken skulle det finnas början till fabriker. Men min faster stickade inte och inte sydde hon heller.

Jag satt i kammaren i min farsas barndomshem och såg genom det ena fönstret den mystiska trädgården och genom det andra den knäckta ladugården.

Skogen skulle bara behöva ta tre steg för att uppsluka tillvaron.

Jag var ensam och ibland rädd.

Jag kunde inte få fram en enda ton på min farsas esskornett.

Men jag hade heller inte kunnat få fram nån melodi på morsans nyckelharpa.

Jag hörde inte hemma på landet.

Jag hade vid denna tidpunkt hört hemma på Södermannagatan och hörde nu hemma i Duvnäsgatsbacken.

Från Södermannagatan mindes jag inte så mycket. Ett lågt trähus och lukten från Bergmans Enka. Råttor, röda hund och brinnande kakelugnar.

I Duvnäsgatsbacken gick det an att bo. Från Duvnäsgatan minns jag hur vi mötte farsan på väg hem från General Motors och hur vi kom hem och hur jag tillbringade kvällar med att peta små packningar som liknade kronor från farsans skosulor. Det var packningar till billås.

Jag minns gräshopporna på Åsöberget. Och tändstickor med blått svavel och vit topp som tände på vad som helst. Alla grabbar hade såna tändstickor och det brann vid tre tillfällen i huset hörnan Duvnäsgatan och Åsögatan.

Jag minns Tegelviken och hur vi fiskade på östra Söders yttersta udde. Vi metade braxenpanka.

Och sen hur vi gick på bananbåtarna och tiggde tändsticksaskar för märkenas skull. Ofta kom man hem med gröna bananer och orostade jordnötter.

Jag minns Kvinnornas brödbakeri.

Jag minns mässlingen och hur farsan kom hem på nätterna med sin korvlåda och berättade om livet på Renstjernas gata. Hur jag en morgon då jag var sjuk fick i en påse nattens inkomster av ettöringar.

Kakelugnar som eldades. Ved som sågades i källaren. Farsan kom ofta hem med plankbitar.

Jag minns en trattgrammofon som måste ha försvunnit i flyttningen till barnrikehuset och jag minns att farsan slutade röka.

Jag minns grannen Nyqvist, och Herman.

Och skolan.

Jag gick i skolan med min äldsta syster. Jag hade inte börjat skolan men det var inget som hindrade att småsyskon fick gå med.

Jag lärde mig inte läsa till dess jag själv började.

Jag gick på kvällarna och tecknade och målade med någon som hette Ragnar. Det var högst upp i uppgång C i Sofia folkskola. Varför jag följde med Ragnar på kvällarna minns jag inte. Ragnar tog mig också en gång med på matiné på Södra

62

Kvarn. Men det gjorde han aldrig om. Jag kräktes på honom.

Det luktade fan på Södra Kvarn. Det luktade vägglöss och vägglöss fanns det mer än nog av på Duvnäsgatan.

Jag minns avlånga permittentbrev.

Jag minns fläskbitar som skulle ha kunnat hävda sig på pansarkryssaren Potemkin.

Jag minns och kan fortfarande inte äta den sorts bakelser farsan hade med hem då han så stillsamt som möjligt skulle tala om för mina systrar och mig att morsan skulle opereras för struma.

Jag minns en trattgrammofon men ingen musik.

Jag satt alltså i min farsas barndomshem och var ensam och ibland rädd.

Men saker hände. Min farbror ställde till med kalas och han ställde till kalas för min skull.

Genom skogarna anlände en lördagseftermiddag en samling av socknens äldsta och egendomligaste gubbar. Mörkt klädda, vithåriga, med stärkkrage och klockkedja och kängor samlades de i fabrors hus och fick kalvsylta och brännvin.

Konjak, socker och varmt vatten.

Det var knotiga och krokiga magra gubbar vars ena krämpa inte var den andra lik. De darrade i sig sina groggar och tuggade ideligen med tandlösa gommar. Det snusades och röktes cigarrer och det till och med sjöngs.

Det kunde ha varit tjugo, det kunde ha varit tjugofem och ingen av dem skulle leva ens till det jag blev tio år.

Bara en käring kom och hon hjälpte faster i köket.

För min skull.

Någonting skulle bevisas.

För farsans skull.

Jag antar att det måste ha varit så. Han som reste till Stockholm hade en son.

En som skulle ta vid.

Gubbarna drack sig fulla och kom ihop sig om vilken käpp som var vems och med svarta hattar försvann de lika gåtfullt som de kommit åt var sitt håll in i skogen i den riktning de trodde sig bo.

Snubblande och sjungande bar det iväg. Några kräktes lite mot den knäckta ladugården. Men bara lite.

Nu skulle trakten få veta att förre handlaren, han som det gick utför för, skickat sin son till barndomshemmet.

På gubbkalaset hade man talat om tiden och att den nu inte längre kunde förvåna. Att den inte kunde utvecklas.

Tekniken kunde nu inte göra landvinningar. Den kunde förbättras men inte förvåna.

Gubbarna berättade hurusom tekniken gjort sitt intåg i bygden en midsommarnatt och med ett prostskratt skrämt jungfrur som hade tänkt drömma och kvinnor som tänkt förvandla sig till nakna.

Jon Nilsson hade kommit från Amerika.

Det hade funnits en musikkår i bygden. En mässingsorkester på sex man som spelade i kyrkan och som spelade på dans. Min farsa hade varit med.

Till midsommar spelade orkestern i dagarna tre. Nere vid sjön hade ungdomarna byggt en dansbana och där hade man dansat och där hade man druckit. Inte bara ungdomarna i byn utan alla. Till och med prosten.

Jon Nilsson hade kommit hem just till midsommar och han hade i sitt bagage en Edisonrulle och han hade sagt att han på den rullen skulle spela in musiken och sen kunna spela upp den igen.

Festen hade pågått några timmar, musiken hade blivit varm i kläderna. Dragbasunen, esskornetten och bastuban glittrade i den sjunkande solens strålar och Jon Nilsson hade sagt att det nu var dags för en inspelning.

Man skulle för högtidlighetens och prostens skull spela en psalm och musiken skulle trängas framför Edisons tratt.

Menigheten tystnade. Musiken började spela och Jon han vevade på sin apparat.

Tystnad rådde i skogen.

Efter att till hälften ha musicerat sig igenom psalmen på melodistämman var det dags nu för ett och annat solo och om det nu var dragbasunen som hade solo eller ej, det mindes inte gubbarna, men nån hade solo och då passade esskornetten på att tömma spottventilen.

Prosten som tyckte detta såg egendomligt ut, som någonting han inte trodde skedde under psalmspelande, blev så förvånad och av nån anledning glad så han utbrast i ett kort skratt.

Ha-ha!

Detta ha-ha hörde alla men det var egentligen ingen som la märke till det.

Psalmen spelades så länge Jon Nilsson vevade på sin apparat och sen fortsatte den lite till av rent musikaliska skäl.

Sen kom stunden. Den stund då tekniken slog

sin knutna näve igenom bondskrock och tradition och liksom ville ha sagt: Från och med nu kommer ingenting att förvåna er.

Jon Nilsson spelade upp sin rulle.

Man hör återigen psalmen såsom kommande fjärran ifrån. Musikernas ögon glänser igenkännande. De gamla skakar på sina huvuden. Ungdomen förstummas.

Mitt i psalmen hörs plötsligt skrattet.

Prostens Ha-Ha.

Menigheten är upprörd och exalterad som efter en jordbävning.

Att psalmen hade fastnat det var otroligt men det var ju bara vad Jon hade sagt att den skulle göra. Men att prostens skratt fanns med, det var mer än man väntat.

Prostens hjärta kastades mellan skam och stolthet.

Hans röst hade nått evigheten.

Han valde nu utan tvekan det långa mörkret, det hade han i och för sig trott att han så småningom var tvungen till ändå, bara hans skratt stannade.

Flera gånger vevades rullen.

Skrattet satt kvar.

Med ett ha-ha hade tekniken och framtiden visat sin styrka och det var bara en säger en gammal gumma som inte ville fatta vad detta betydde.

Hon frågade: Har Jon haft isär honom?

När Jon Nilsson jakar nickande viskar gumman i hans öra: Ser han ut som en människa inuti?

Denna midsommarafton låg långt tillbaka i tiden men inte längre tillbaka i tiden än att gubbarna kunde härma prostskrattet.

Tekniken hade denna midsommarafton lovat evighet och den hade lovat en framtid.

Bara det att kunna behålla ett skratt ifrån midsommar till jul.

Jon Nilsson hade spelat samma rulle på ett julkalas och skrattet hade hörts lika bra och det hade återkallat i minnet en midsommarafton.

Dessutom hade det återkallat minnet av pastorn.

Prosten hade dött men han fanns på rullen.

Jon Nilsson hade sagt att detta är ett bevis på att den moderna tiden är här för att stanna. Att det skulle vara ett bevis på vad människan kan bara hon sätter den sidan till.

Det var bara den frågvisa gumman som tyckte att det nog varit snyggast att begrava prostens skratt med prosten.

Man hade sagt henne att tekniken kämpar ingen emot och att allt tekniken ger det är till godo.

Ingenting, påstod gubbarna, hade sen dess förvånat dem.

Rent tekniskt.

Tekniken förvånade dem inte.

Tekniken var född och den fanns.

Det var ingenting att ha synpunkter på.

Som en gammal käring.

Min farsa berättade ofta den här historien på ett liknande sätt men för honom var historien inte i första hand en historia om teknik. Det var berättelsen om att även han i sin ungdom hade levat i en trakt där händelser hände och att det även då hade gått an att få vara med om saker och ting som just då framstod som gåtfulla och nästan oförklarliga.

Och vad skulle gumman tro? En talande rulle.

Vi var inte bortskämda med den moderna tekniken.

Gubbarna hade sagt att min farsa var en baddare på esskornett.

Och att prosten som var med på den där rullen var en jävel. De hade alla gått och läst för honom.

Jag förstod mig inte på gubbarna vilket kanske inte var så konstigt men jag tyckte om lukten på deras välborstade kostymer. Kostymerna luktade som vinteräpplen som legat för länge, som det luktar på en vind där man förvarar socker, mjöl, orostat kaffe och honung.

Det var fina, artiga och lite virriga gubbar som tillsammans säkerligen var bortåt tvåtusen år.

En del av dessa gubbar bodde en två tre timmars promenad ifrån min farbrors hus.

Jag hör min farbror varna nån för att ramla i den gamla märgelgraven.

Jag hör röster, jag ser bönder, jag minns.

Jag minns sittande i min farsas affär i en skrubb som väl utgör lagret. Min morsa kokar kaffe och min yngsta syster försöker stava sig fram i Sörgården.

Buntar av grova strumpor ligger i skrubben. Det luktar fuktigt ylle och kaffe.

Jag minns därför att jag vet var dessa strumpor tillverkas. Hur sakta det går och hur väl detta arbete är utfört. Hur de färdiga strumporna förvarats i svala finrum innan de kommit hit. Hur strumpor stickas av runda flickor och unga bönder i sjumilaskogar. Av magra bondgummor som barfota rör i nånting i en gryta.

Min mormor spolade garn. Till och med jag har spolat garn och tagit emot förebråelser då jag knutit en felaktig knut och knuten gått upp och stickningen ramlat ner.

Att spola garn är ingen konst sen man lärt sig knyta och det är inte tråkigt. Det är ett led i till exempel strumptillverkning.

Och liksom en spinnrock sjunger sades det att spolverket sjöng.

På måndagen långsamt: I dag är det måndag långt till lördag. I dag är det måndag långt till lördag.

Och på fredagen glatt: I morn är det lördag, i morn är det lördag.

Till och med jag har spolat garn. Jag bockar därför inte för textildisponenter och går heller inte åt sidan för nån fabrikör.

Jag tror inte ens att jag sympatiserar med återförsäljare trots min ringa fallenhet för boken.

Men jag bockar mig för de hemmastickande kvinnorna före kriget. För deras glädjes skull, deras flit och deras söndagar.

Jag har sett deras maskiner stå stilla på söndagar. Smorda och med tidningspapper skyddade för damm. Med maskinens skarpaste kanter lindade med trasor för småbarnens skull.

Krukväxter gömde stickmaskinen. De runda töserna vilade.

I min mormors kök gick det inte ens an att hålla i en sax på en söndag.

Inte heller i min farbrors hus.

Om söndagarna gick min farbror varv på varv i sin trädgård. Han gick kanske inte, han spatserade i hatt och med söndagskäpp som om han befunnit sig på ett konvalescenthem och trädgårdspromenader ingick i behandlingen.

Han läste frökataloger och rökte pipa. Han vilade länge middag. Det kom aldrig folk.

Till min mormors hus kom det däremot om söndagarna folk. Sådana som utnyttjade söndagen till att antingen komma med skor som skulle lagas eller för att hämta lagade skor.

Detta tyckte min morfar inte om. Han ville inte ha besök på söndagarna och särskilt inte av sådana med skoärenden. Men han kunde inte göra mycket åt saken. Söndagsbesökande skulle också ha kaffe och morfar kände sig störd. Helst ville han sitta under ett äppelträd och lyssna till sina bin.

Han ville tala om sina bin, om drottningar, om drönare och om arbetsbinas flit och olika uppgifter.

Han jämförde bin med människor och fann ingenting märkvärdigt i att arbetsbina arbetade till dess de slet ut sina vingar.

Det gick så till. Och den som ingenting hade han skulle heller ingenting få. Han skulle tvingas arbeta till dess han blev utsliten. Ingen skulle tacka honom och han skulle dö med trasiga vingar.

I Himmelen skulle rättvisa skipas.

Drönare och fabrikörer skulle inte undslippa sina ogärningar och de utslitna skulle få vila. De skulle få nya vingar.

Detta, sa han, var i vilket fall det han hoppades på.

Och hoppas kunde man ju alltid göra.

Älsken icke världen, icke heller de ting, som äro i världen. Om någon älskar världen, i honom är icke Faderns kärlek.

Mina barn, nu är den yttersta tiden. Och såsom i haven hört att antikrist kommer, så hava ock nu många antikrister uppstått, varav vi förstå, att nu är den yttersta tiden.

Tiden skulle ta slut.

Min morfar förklarade att snart skulle det som beskrevs i Johannes uppenbarelse gå i uppfyllelse. Ingen skulle komma undan.

Det skulle bli fruktansvärt.

Morfar läste sittande under sitt äppelträd:

Och åt det vart givet att giva ande åt vilddjurets bild, på det att vilddjurets bild även skulle tala och så göra, att alla, som icke tillbådo vilddjurets bild, skulle dödas.

Och det kommer alla, små och stora, både rika och fattiga, både fria och trälar, att låta giva sig ett märke på sin högra hand eller på sina pannor, och gör så, att ingen kan köpa eller sälja, utom den som har märket, vilddjurets namn eller dess namns tal.

Här är visdomen. Den som har förstånd, han räkne ut vilddjurets tal; ty det är en människas tal, och dess tal är sex hundra sextiosex.

Det skulle bli fruktansvärt, sa morfar.

Och röst av harpospelare och musikanter och flöjtblåsare och trumpetare skall aldrig mer bliva hörd i dig, och ingen idkare av något hantverk skall mera finnas i dig, och inget ljud av kvarn mera höras i dig.

Och ingen lampas sken skall mera lysa i dig, och ingen brudgummes och bruds röst skall mera höras i dig; ty dina köpmän voro furstar på jorden, ty alla folk blevo förvillade genom din trolldom.

Och där vart funnet profeters och heligas blod och alla deras, som hade blivit slaktade på jorden.

Med andra ord: Jorden skulle bli ett helvete och ett dårhus.

Kanske inte i hans tid.

Men i min.

De krig och kristider som funnits skulle framstå som en barnlek mot vad som komma skulle.

Och himmelen försvann, såsom en bok som hoprullas, och alla berg och öar flyttades från sina rum.

Och konungarna på jorden och stormännen och befälhavarna och de rika och de starka och alla trälar och fria dolde sig i jordkulor och i bergsskrevor.

Och sade till bergen och klipporna: Fallen över oss och skylen oss för dens ansikte, som sitter på tronen och för Lammets vrede.

Ty hans vredes stora dag har kommit, och vem kan bestå?

Min farbror kunde däremot inte finna något nöje i Johannes uppenbarelse. Som trädgårdsmästare trodde han inte på någon undergång. Han talade med Luther och fann nöje i Job.

Även om jag visste att jorden skulle gå under i morgon skulle jag ändå gå ut och plantera ett litet äppelträd i min trädgård.

Nej, den oförnuftige dräpes av sin grämelse, och den fåkunnige dräpes av sin bitterhet.

Ja, åt förhärjelse och dyr tid kan du le, för vilddjur behöver du ej heller känna fruktan;

ty med markens stenar står du i förbund och med djuren på marken har du ingått fred.

72

Men min farbror erkände gärna: Jag får ingen rast, ingen ro, ingen vila; ångesten kommer så över mig.

Ångesten låg i släkten. Den hade kanske drabbat min farbrors yngre broder värst. Ångesten hade övergått i astma.

Det var min farbror som plockade enrötter och rölleka och skickade till min farsa.

I sex år låg min farsa sjuk och drack av det uppkok som de läkande örterna gav. Och han drack till dess han, liksom Elias, hörde ett rop: Upp med dig, du flintskalle! Upp med dig, du flintskalle!

Varpå han reste sig och gick upp.

Han öppnade en affär som han kallade Västgötalagret.

En arbetarbod för strumpor, blåkläder och kulörta Algotsskjortor.

Västgötalagret låg på Kocksgatan i närheten av Borgmästaregatan. Affären hade förut varit mjölkaffär. Disken var av marmor. En kassaapparat hade följt med i lokalhyran. Det var ingen stor affär.

Det var sommar det året. Och året skulle kallas för ett varmt år. Liksom de tre följande åren skulle kallas för kalla år.

Affären öppnades på sommaren. Det skulle under denna sommar se ut som om Europa gick mot ett krig. Hösten skulle innehålla både mörkläggning och vindsröjning. Men hösten skulle också innehålla ett löfte.

Ett löfte visserligen som ingen egentligen ville tro på.

Men som det gick an att tro på.

Som ingen trodde på.

Chamberlains försäkran efter München: Fred i vår tid.

Vilddjurets tid skulle dröja.

Det gick an att öppna affär.

Det går inte att föra krig. Det lönar sig inte att föra krig.

I och med att fredstid proklameras andas Europa med svårighet de återstående månaderna till dess kriget skall bli verklighet.

Léon Blum säger: Kriget har sannolikt avvärjts men på sådana villkor, att jag, som aldrig har upphört att kämpa för freden, som genom många år vigt mitt liv för denna sak, icke kan känna någon glädje men känner mig splittrad mellan en feg känsla av lättnad och skam.

Fredrik Böök: Faraoner och Napoleoner går till slut de vägar som är Guds och som kallas världshistoriens. När vi skymtar dem, kan vi ödmjukt böja vår vilja i det stora sammanhanget, och känna hugsvalelse.

Winston Churchill känner ingen hugsvalelse: En upprustning, vars make aldrig skådats, måste ofördröjligen sättas i gång, och alla Englands krafter och hela dess samlade styrka måste gå till verket.

England och Frankrike hade att välja mellan vanäran och kriget. De valde vanäran — och kom att få kriget.

Det är i Västgötalagrets sommarvarma lukt av ylle jag minns.

Så här borde det inte få gå till.

Min farsa kunde gott fortsatt att ligga.

Han öppnade en affär som trodde han den låg i ett vägskäl i en skog.

Förresten varför inte. Världen väntade sig vad som helst.

Tusentals människor på olika håll grepos av panik när H.G. Wells Världarnas krig på söndagskvällen utsändes i radio. Den skildring av Marsinvånarnas angrepp mot jorden som gavs i radion hade gjorts så verkningsfull att radiolyssnarna på allvar trodde att krig utbrutit. Sjukhusen i New York fingo under kvällen motta ett stort antal personer som drabbats av nervchocker.

Vilddjuret gjorde sig påmint. Det gällde bara att räkna ut hans tal.

Den som har förstånd, han räkne ut vilddjurets tal.

Ty det är en människas tal.

Farsan reste sig alltså upp ur sin säng och öppnade affär. Och vem är jag, stående mitt i affären, eller så här efteråt, att kritisera tilltaget. Farsan skaffade sig inte bara en affär. Han skaffade sig ett jobb. Han vaktade om nätterna Elverkets kabelförråd som låg på Slakthusets område i Enskede. Han hade mössa med märke och pistol. På förmiddagarna medan farsan sov skötte morsan affären. På eftermiddagen övertog farsan kommersen och ställde sig i sin butik som om det varit en kryddbod med enbart delikatesser, smör, ost och rökt lax.

Han var lycklig. Han pratade, prutade och gav kredit.

Om morsan tvivlade på denna affär, så sa hon i vilket fall inget. Men hon trivdes inte med att sälja. Det gav henne ett övertag som hon var i mycket litet behov av.

Dessutom fick henne lukten av ylle att längta hem.

Hon satt i Västgötalagret och märkte våra kläder med namn och adress. Barndomshem I och barndomshem II.

I händelse av att vi skulle evakueras.

Fred i vår tid.

I den radio som Elverket höll med i sin vaktkur, vrålade Hitler:

Ich spreche von der Tschechoslowakei!

Ich spreche von der Tschechoslowakei!

När 3 1/2 miljoner medborgare av ett folk på nära 80 miljoner ej få sjunga någon sång, som tilltalar dem, blott emedan den ej behagar tjeckerna, när de misshandlas till blods, endast emedan de bära strumpor, som tjeckerna helst inte vilja se.

Nu skulle de få bära sina strumpor.

Strumpor!

Detta är mitt fadersarv:

I tider av terror går det åt en helvetes massa strumpor.

Detta är i vilket fall en människas sätt att räkna ut, ty dina köpmän voro furstar på jorden.

Ty alla folk blevo förvillade genom din trolldom. Och därför skall ingen lampas sken mera lysa i dig.

En trumpetare skall aldrig mer bliva hörd i dig.

Den fåkunnige kommer lugnt och stilla att dräpas av sin bitterhet.

Det måste ha varit för länge sen.

Det måste ha varit bärtid. Man kokade bär.

Det var alldeles för varmt.

Var det mange helgenbilleder til salgs?

Ja.

Bragt in fra landet?

Ja.

Det stemmer. Böndene sulter. De har forlengst spist utsæden.

Träblåsare

Vi har skändat bikuporna. Vi har rökt ut dem med svavel och sprängt dem med krut. De rykande resterna spred en otäck lukt i de heliga republikerna.

Fred i vår tid!

Ett löfte att tro på, ett löfte att hånle mot.

Vilddjurets tid skulle dröja.

Men:

Den dagen, då ett judiskt eller av judar köpt mordvapen reses mot någon av de ledande männen i Tyskland, kommer det inte att finnas några judar mer i Tyskland! Vi hoppas att vi ha uttryckt oss tydligt nog.

Det var ingen tvekan om den saken. Tyskland hade uttryckt sig tydligt nog.

Vid tiden för Berlinolympiaden hade man inte uttryckt sig fullt så tydligt. Visserligen hade Hitler sagt: Olympiaden är en uppfinning av frimurare och judar.

Detta togs kanske inte så allvarligt, i vilket fall

77

försöker en annan klok tysk släta över Hitlers uttalande: Låt dina barn lugnt leka i judehus — det förekommer inte ritualmord *varje dag!*

S.A. Sportführer Bruno Malitz är helt för olympiaden: Vi nationalsocialister kunna icke finna något positivt värde för vårt folk däri att det tillåtes judesvin och negrer att resa genom vårt land och tävla med våra bästa i atletik. Judiska sportledare och deras av Talmud förstörda vänner, pacifisterna, politiska katoliker, paneuropéer och likställda ha ingenting att göra i vårt land. De är värre än kolera och syfilis, mycket värre än hungersnöd, torka och giftgas. Önska vi de olympiska spelen för Tyskland? Ja, vi måste ha dem. Vi anse dem av internationella orsaker för väsentliga.

Och herr Malitz slutar: En bättre propaganda för Tyskland finns icke.

J.F. Andersson värmer sitt nattliga kaffe innan han skall gå sin rond till de nycklar som passar till hans nattvaktsklocka bland ledningsstolpar och kabelrullar i en snål decembervind bakom Slakthusets illaluktande tegelfasader.

Fred i vår tid.

I så fall skulle det hända ett mirakel och J.F. Andersson trodde inte på mirakel. En affärsman tror inte på mirakel.

En affärsman kakylerar.

Han väger sin tid, den tid han lever i, omsorgsfullt. Han kalkylerar. Han väger en viss varas för- och nackdelar. Han rör sig med ord som tillgång och efterfrågan. Han använder sitt sunda förnuft och går det bra har han kalkylerat rätt och går det inte bra har han kalkylerat fel.

En affärsman är en man som tar risker, en som sätter allt på ett kort. Och lägger han till sitt sunda förnuft affärsmannens medfödda slughet är han garderad.

Nej, han trodde inte på ett mirakel. Inte på fred.

Kallt kalkylerande i strumpor kokar J.F. Andersson kaffe.

Konjunkturerna visade på krig.

Det var ett faktum, sen fick dom skylla på vad som helst dom som hade lust.

Det finns mer av medeltid i samtiden än vad man tror — även i en miljö som den svenska ... När inte mindre än 27 % svarar ja på frågan om det som nu sker i kriget är förutsagt i Uppenbarelseboken, då står det illa till ... Bildningsarbetet tränger visserligen tillbaka urskogsdunklet. Men ändå!

Vi hoppas vi ha uttryckt oss tydligt nog.

En sjuttonårig judepojke skjuter en tysk legationstjänsteman i Paris och i Tyskland tar rättrogna arier en ljuvlig hämnd: Den djupt upprörda folksjälen skaffade sig luft.

Tyskland hade uttryckt sig alldeles förbannat tydligt.

Trots blåsten är himmelen över Enskede slakthusområde stjärnklar, luften är hög.

J.F. Andersson andas.

J.F. Andersson ler. Några meter framför honom vandrar en räv försiktigt spårande den nyfallna pudersnön.

Åt detta gläder sig nattvakten J.F. Andersson som ett barn och han går försiktigt vid sidan av rävspåret.

När Andersson stannar, stannar också räven och

vänder sig om och ser på honom.

Andersson minns och han upptäcker plötsligt skillnaden mellan att minnas och att grubbla, mellan att minnas och att tänka framåt.

Han minns sin barndoms långa ensamma skolväg förbi en märgelgrav i en stor skog och hur han på snöpudrade småvägar stretade sig fram vid sidan av ett rävspår. Varannan dag i fem år hade Andersson gått i skolan och många rävar hade han sett.

Nu gick han åter vid sidan av ett rävspår och en lång sträcka hade han att gå. Kanske tog det en timme innan han vridit om alla vaktnycklarna och han tryckte ner sin krimmermössa över öronen. Varannan timme vandrade han samma sträcka och vred om nycklar. Resten av natten tillbringade han i ett elektriskt uppvärmt kyffe intill eljobbarnas omklädningsrum. I detta kyffe kokade han kaffe, han tänkte och det är också möjligt att han då och då sov.

Och medan Andersson leende betraktar den orädda räven hämnas Berlin, Hamburg och München mordet på legationstjänstemannen von Rath och den tyska folksjälen skaffar sig luft genom att plundra, mörda och skända judiska män, kvinnor och barn. Synagogorna brinner.

Andersson ser mot sin himmel över Enskede slakthus och stjärnorna gnistrar.

Han kommer kanske ändå inte att hinna i kapp sin tid.

Andersson, nattvakt och arbetare, har inte lust att hinna i kapp sin tid.

Det får han göra som affärsman.

Krig, det ville ändå inte nattvakten Andersson. Och om det var nånting Andersson inte förstod så var det förföljelse. Och ändå hade man förföljt så länge Andersson levat. Tattare, zigenare, ryska sågfilare och såna som hade gått i konkurs och såna som var fattiga och sådana som hade astma.

Bomber om nätterna.

Lärde man sig ingenting i Spanien?

Jo, herr Andersson, man lärde sig. Men vad man lärde sig är ingenting för herr Andersson med bara femårig varannandags folkskola och en simpel brevkurs i upprättandet av korrekt skrivna brev för att låna lite pengar.

Nog lärde man sig alltid, eller rättare sagt kom underfund med ett och annat som kanske kunde vara bra att ha kommit underfund med:

Det är de tätast befolkade kvarteren, som bliva mest lidande (vid luftbombardemang). Dessa kvarter bebos av fattigfolk, som ingen framgång haft i livet, arvlösa i samhället, som man på detta sätt blir kvitt. Explosioner av bomber å ett ton eller mera vålla dessutom genom de åstadkomna skadorna talrika fall av vansinne. Människor med dåliga nerver uthärda inte ett bombanfall. Så hjälpa oss bombardemangen att upptäcka neurastenikerna och att utrensa dem ur samhället. Så snart dessa sjuka ha upptäckts, behöver man blott sterilisera dem för att främja rasurvalet.

Vid sidan av en räv går alltså J.F. Andersson småleende. Plikttroget vridande de nycklar han är satt att vrida och minnandes sin barndoms iskalla skolsal och gamle lärare Fogelqvist som strängt bankade muliplikationstabellen och de kanoniska böckerna alltifrån Första Moseboken till Jona, Mika, Nahum, Habackuk, Sefanja. Haggai, Sakaraja och Malaki i lille John Anderssons bondblonda huvud.

Sterilisera neurastenikerna!

Väktare, vad lider natten?

Verklig astma har ofta nervösa orsaker, därav uppstår stor ångest och andnöd.

Det tyska arkivet för biologi och raslära har talat och det låter som Gamla testamentets föreskrifter för renhet i Herrens församling.

Ingen som är snöpt, vare sig genom krossning eller genom stympning, skall komma in i Herrens församling.

Ingen som är född i äktenskapsbrott, eller av judesvin eller av negersvin eller av pacifistsvin eller av paneuropeiska svin eller bolsjeviksvin eller nervösa astmasvin skall komma in i Herrens församling; icke ens den som i tionde led är avkomling av en sådan skall komma in i Herrens församling.

Du skall aldrig i all din tid fråga efter deras välfärd och lycka.

Och det tredje rikets ungdom lovar sin Herre att aldrig fråga efter dessa de orenas välfärd eller lycka.

Aldrig i deras tid.

I Uppsala och Lund hurrar en stor del av studenterna för Hitler och på Nytorget i Stockholm reser nazisterna sina talarstolar.

Kanske man till och med lyckas citera Kaj Munk: Det nytter ikke at hulke. Det maa saa være. Det er fortvivlende, at Husmænd og Urfugle ikke kan sammen, men som Medlem af Menneskearten maa jeg jo gøre mig solidarisk med Husmændene. Og selv hvor Talen er om Mennesker med anden Kulør kan det ikke være helt fejlagtigt at parallelisere videre: som Medlem af den hvide Race er man pisket til at være solidarisk med den.

Detta säger Kaj Munk angående Mussolini i Abessinien trots vad som hänt och trots massavrättningar.

Vi vil allesammen hellere have en Engel til at regere os end en Djævel. Men hvis nu Djævelen er en Kapacitet og Engelen en Fummelfinger?

Ingen ammonit eller moabit skall komma in i Herrens församling.

Men:

Egyptiern skall icke för dig vara en styggelse, ty i hans land har du bott såsom en främling.

Och bussigt nog tillägger Bibeln eller Mussolini: Barn som födas av dessa i tredje led må komma in i Herrens församling eller armé, hur man nu vill ha det.

Vansinnet har kommit för att stanna.

Tyskland hoppades ha uttryckt sig tydligt nog och den som inte hade fattat kunde fortfarande hålla sig till Kaj Munk: At Hitler har maatte bruge Midler, der kan kritiseres af Smaafolk, som aldrig selv har prøvet at have Fingrene i Klemme, var en Nødvendighed.

Jøder havde tilsmudsket sig en Rolle i Tyskland under Opløsningen, der gør det vanskeligt for udenforstaaende at snakke med, hvad der sker dem nu. De har spillet paa sit Instrument i Forfaldsperiodens Tyskland, saa det nye genopbyggede Rige følte, de maatte sættes paa Plads.

Ingen Dansk kan ære Hitlers Daad mere end jeg.

Och världen ropar till svar: Ve judenheten, om den även nu skulle förhärda sig i motståndet mot Kristendomen.

När slutade medeltiden? Denna fråga framkastades vid ett föredrag i kväll i nationalsocialistiska lärarförbundet av professorn i politisk pedagogik vid Berlins universitet dr Bäumler, och hans svar avviker något från det svar, som man hittills lämnat i historiska kretsar. Professorn framställde ett nytt begrepp om medeltiden. — Icke med upptäckten av Amerika, förklarade han, och icke med reformationen upphörde medeltiden, utan den dag då Adolf Hitler övertog makten.

Vansinnet är totalt.

Clarté hårdnar i universitetsstäderna, och i Stockholm protesterar arbetarna handgripligt.

Rakryggad vandrar J.F. Andersson vid sidan av sitt rävspår förlorande sig i barndomens tidigaste minnen. Och han tror sig komma ihåg hur han nätterna innan jul följde sin far till Dalstorps kyrka och halvsovande i den svala kyrkan tittade på då fadern ordnade ljusen till julottan. Han tyckte sig komma ihåg hur han till och från kyrkan höll sin fader i handen. En svartklädd man med polisonger och hakskägg, en tyst och svartklädd gammal man.

Kanske var J.F. Andersson lik sin fader i sättet att gå. Rakryggat och raskt. Att han just nu inte drev upp takten var rävens fel. Nattvakt Andersson hade ingen anledning att skrämma en räv. Och räven, trodde han, mådde nog bra inne på Slakthusets område. Den hittade nog tillräckligt att äta och om den frös gick den kanske in i nån av hallarna

84

och värmde sig. Räven såg gammal ut men samtidigt verkade den sällskapssjuk. Den tyckte om att gå en bit före Andersson och Andersson njöt av detta vackra sällskap. Han undrade lite om räven tordes ge sig på dom enorma grå råttorna som slakthusområdet vimlade av. Det blåste norrifrån och han hörde tjurar och kor nyss anlända till dödshuset råma långt borta. Stadens ljud var avlägsna och bara då och då hörde han förortsspårvagnarna skramla förbi. Och kanske en tjutande polisbil från Enskede polisstation strax utanför Slakthusets grindar. Andersson och räven tassade tysta i nysnön som om de vaktade ett upplag av kopparkabel och impregnerade stolpar ingen ville kännas vid och som heller ingen någonsin skulle flytta på eller använda sig av.

Natten är lång. Morgonen avlägsen.

Väktare vad lider natten?

Hade Andersson någonsin varit lille John, han som skollärare Fogelqvist slog i huvudet med sin eländiga pekpinne. Som tända ljus hade de fått sitta. Och med tända ljus stod hans barndoms julotta?

Andersson visste inte.

Han visste inte om han någonsin varit ett barn.

Ung visste han att han hade varit. Han hade spelat esskornett och han hade öppnat affär.

Nu var Andersson lika gammal som den gamla räven och räven kanske heller inte hade någon barndom.

Andersson sätter den fastkedjade nyckeln vid det längst bort liggande stolplagret i sin nattvaktsklocka och vrider om. Han gör sig ingen brådska. Hans ögon följer räven som vankar iväg lite längre bort mot en kulle och försvinner. Andersson förmodar att det är där räven bor och det skall också till sommaren visa sig att räven är en hona och att Andersson just från denna plats ljusa nätter skall kunna följa tre rävungars lek.

Han skall lära sig älska dessa djur som vore det för deras skull han vaktade detta egendomliga område.

Andersson hade alltså inte varit för gammal för att få arbete och heller inte så sjuk att han inte kunde utföra det. Någon enstaka gång skulle det kanske hända att Andersson på grund av sin astma tvingades stanna hemma. Det var då dimma och lågtryck trängde in i hans lungor och tvingade honom till en ångest som var mycket svår att bära.

De nattliga promenaderna gjorde Andersson starkare. Hans hy blev rosigare och hans ögon klarare. Han sov på dagarna i en fyra fem timmar. Sen gick han till sin affär.

Då gick affärsinnehavare J.F. Andersson och avlöste sin fru vid kassaapparaten och såg över sina välpräntade böcker innehållande Debet och Kredit.

Kallt kalkylerande med terror och det att i tider av terror slits mer strumpor än annars. Det går åt mer strumpor.

Och mer folk.

Nattvakt Andersson visste att i tider av terror går det åt en helvetes massa folk.

Det skulle komma att gå åt folk.

Nattvakten och arbetaren J.F. Andersson föraktade intill hat vad som skedde i världen men affärsmannen J.F. Andersson var tvungen att kalkylera i de stigande konjunkturerna.

Borås hade gett kredit.

Algot hade förstått.

Nattvakt Andersson ser länge efter sin försvunna räv som ville han följa spåren och krypa in till denna sin nye vän.

Algot hade förstått. Algot kunde läsa innantill.

Engelska regeringen utdelar två miljoner gasmasker.

Kreml håller krigsråd.

Nazism och fred äro begrepp som utesluta varandra.

När affärsmannen J.F. Andersson avlöste sin fru i affären gick fru Andersson till fru Krik i judehuset och lagade hennes mat. De talade aldrig om vad som skedde ute i världen. Överlämnadet av de två tjocka guldringarna från Odessa hade skett utan några kommentarer. Talade de, talade de om sina krämpor. Sina onda knän och hur fingrarnas leder stelnade. Att flyktingar anlände till judehuset brydde sig ingen av dem om. De hade flytt färdigt. De väntade sig ingenting. De satt mitt emot varandra i fru Kriks mörka lilla lägenhet och teg. Ändå visste fru Andersson att fru Krik var rädd eller hon förstod att fru Krik mycket väl mindes hur det känns att vara rädd. Mindes i korta snabba ögonblick. Fru Kriks trötthet var större än hennes minne och hennes värkande leder dämpade hennes rädsla.

Två uttröttade gamla käringar i tystnad plågade av sina krämpor levande en tid som snart kommer att få gråta sig till sömns.

De två gamla käringarna klagar inte och de dömer

inte.

De hade aldrig väntat sig någonting och hade heller ingenting fått.

De klagade inte.

Det tillkom inte dem att döma.

En högre makt skulle en gång föra deras talan: Och landet som du har nedsölat skall jag vattna med ditt blod, ända upp till bergen, och bäckarna skola bliva fulla av dig.

Och när jag utsläcker dig, skall jag övertäcka himmelen och förmörka dess stjärnor; jag skall övertäcka solen med moln, och månens ljus skall icke lysa mer.

Alla ljus på himmelen skall jag förmörka för din skull och låta mörker komma över ditt land, säger Herren, Herren.

Och många folks hjärtan skall jag slå med skräck, när jag gör din undergång bekant bland folkslagen, ja, i länder som du icke känner.

Finnes någon så ringa att du är förmer än hon? Nej, far du ned och låt dig bäddas bland de oomskurna.

Sakta går nattvakt Andersson i sina egna spår tillbaka till sitt varma kyffe och till sitt kaffe.

Mötet med räven hade varit en händelse och Andersson var inte van vid händelser. Inte ett så stillsamt och så självklart möte två levande varelser emellan.

Tanken på och tankar om denna räv sysselsatte honom säkerligen i över en timme denna tidiga decembernatt.

Han hade ofta i sin ungdom stigit upp vinternätter

och suttit på ladugårdslogen stillsam och orörlig vakande på räv. Han hade suttit i väldoftande hö med bössan skjutklar seende ut över frusna blå tegar och ensam med månskenet och stampet från en eller annan ko iakttagit en räv som mycket långsamt och mycket försiktigt närmat sig skotthåll. Många rävar hade han skjutit, många hade han inte skjutit.

Han ångrade denna natt att han någonsin skjutit ett djur.

Jägare hade han aldrig varit. Det var mer den blå iskalla vinternatten han älskat än själva jakten. Möjligt var, men han mindes det inte riktigt, att han blivit tillsagd att vakta på räv då hönorna blivit bitna och att han kanske motvilligt suttit vakande på räv och då upptäckt den tysta verklighet han vuxit upp i. Han kunde om han blundade fortfarande se sin ungdoms stjärnor spegla sig i den gnistrande skaren, han kunde höra Rosa idissla och då och då andas tungt medan han själv sjönk djupare ner i hö ombonad och trygg, medveten om att landskapet han såg var hans, och att ingen någonsin skulle ta detta landskap ifrån honom.

Han inbillade sig att det fria bondeblod som nånstans flöt i hans ådror utkämpat en hård kamp för att slutligen besegras av det starkare inom honom; viljan att göra affärer.

Möjligen eller troligen var Anderssons mor av bondesläkt, men Andersson kunde inte minnas någon mor.

Andersson tänkte.

Andersson tyckte sig ha levat ganska länge och han tyckte sig också ha sett en hel del. Men han hade också varit död ganska länge.

Men han åt inte längre Danvikens mat, han hade arbete och han hade fått tillbaka sin motbok. Och han var innehavare av en affärsverksamhet: Arbetarboden Västgötalagret på Kocksgatan.

J.F. Andersson var på väg att lyckas, och att han återigen en dag skulle tvingas äta Danvikens sura skärbönor kunde han inte tänka sig.

Han skulle lyckas.

Han hade mod.

Han hade sökt och fått det arbete han ville ha; ett ensamt och lätt nattvaktsarbete. Ett arbete som skulle ge honom tillfälle att både planera och att kalkylera. Ge honom tid att skriva affärsbrev och att svara på affärsbrev. Ett arbete som han, när han väl etablerat sig som köpman och återförsäljare, skulle kunna lämna för att helt gå in för affärer. Kanske till och med konfektion i stor skala.

Men för tillfället strumpor.

Blåkläder, rutiga skjortor, kraftiga hängslen, storvästar, ribbstickade underkläder.

Hemstickade vantar och hemstickade kraftiga strumpor.

Han hade varit död i sex år. Han hade en dag stigit upp. Det hade varit på våren. Året hade gått fort.

Hans hälsa hade förbättrats, han åt mer och de timmar han sov sov han gott.

Fru Andersson hade fått det lättare. Barnen var mer eller mindre alltid omhändertagna, av skolan, av KFUK, av barnrikehuset.

J.F. Andersson såg inte ofta sina barn men han saknade dem mycket. Men ändå kanske det var lättare så här. Han nådde inte fram till dem.

Sin son nådde han i vilket fall inte.

Han begrep inte ens vad sonen sa.

Men även detta, trodde Andersson, skulle ändras, om inte med högkonjunkturerna så med det förbannade kriget som skulle komma.

Kriget som skulle komma för att stanna.

Andersson tänkte på sin ungdoms månljusa rävnätter och han tänkte på sin son.

Det hade visat sig, och det fann Andersson både pinsamt och egendomligt, att han de timmar han hade tid att planera och kalkylera, tänkte, om inte alltid på rävar och på sin son, mestadels på helt andra saker. På för en affärsman helt oväsentliga saker.

Eller också, och det fann han ännu egendomligare, tänkte han inte alls. Han vilade i sig själv som vore han nöjd. Som hade han inte ett företag att bygga upp.

Däremot på eftermiddagarna bakom disken levde han som affärsman. Det var åtminstone vad han till en början trodde att han gjorde. Men han upptäckte snart att han i själva verket kanske uppträdde som expedierade han i en kryddbod på landet och han hade gärna gått i vit vegamössa för att ha något att lyfta på när kunder kom och när kunder gick.

Han tyckte om att pruta och han gav gärna kredit.

Till en början betalade hans kunder ganska regelbundet på avlöningsdagar och siffror ströks i en avlång blå kreditbok, men ju längre affären fanns till desto sämre blev det med avbetalningarna på storvästar och underkläder. Det var som om J.F.

Anderssons artighet och belevade sätt bakom disken på något sätt retade dem som var skyldiga honom pengar. Man var inte längre van varken vid artighet eller kredit och hur de övriga utav kundens familj kunde tänkas må, det hade förbanne mig inte en innehavare av en arbetarbod med att göra. Dessutom fick skramlet från den gamla kassaapparaten och lukten från ylle Andersson att tala västgötska i en högre grad än han annars gjorde.

En bondjävel som gav kredit och skrev med mjuk stålpenna svajiga namnteckningar och siffror verkade misstänkt.

Det hände att Andersson mycket väl och korrekt i enlighet med brevkursen om upprättandet av affärsbrev skickade kravbrev till de kunder han visste kunde betala, men det var någonting i stilen och i sättet han uttryckte sig som inte stämde.

Det var vackra, alldeles för sirliga brev.

Många blev förbannade och Andersson kallades judejävel lika ofta som han kallades bondjävel.

Det gick an att säga judejävel 1938.

Bondjävel var bara ett uttryck som man tog till utan att egentligen mena så illa. De flesta föräldrarna i stiftelsehuset på östra Söder var inflyttade landsortsbor med svår hemlängtan och mycket liten kontakt med Stockholm som stad. Men kanske framför allt mycket liten kontakt med sina barn. Med barn födda i Stockholm kännande sig som stockholmare och söderkisar. Med ett eget språk och som rörde sig med en enorm snabbhet i en miljö de tyckte var deras, och som de på ett tidigt stadium fattade att föräldrarna aldrig skulle nå, förstå eller känna för.

Stockholm hade inte sagt dessa föräldrar många vackra ord och arbetslöshet och fattigvårdsunderstöd hade släckt den eld som en gång brunnit i deras hjärtan. Deras ögon glänste inte längre. De väntade sig ingenting annat än arbete och att hinna i kapp. Barnen skulle de inte hinna i kapp men kanske sig själva. Det var bittra, ensamma och utslitna människor som tog seden dit dom kom.

Bonddjävel!

De hatade sig själva mer än de hatade Stockholm. De hatade sina barn därför att de inte förstod sig på dom. Och avlöningsdagar kunde det hända att nån fader efter en kort vila på krogen Shanghaj på Folkungagatan gick hem och i desperation inför den kompakta kontaktlösheten krossade både stolar och bord. Då flydde fruar och barn in hos närmaste grannfru. Till dess gubben somnade eller polisen kom.

Det var nödvändigt att det då och då hände sådana saker.

Barnrikehusens upprörda folksjälar skaffade sig luft.

Att ha sex barn, åtta barn eller tio barn och ett hårt arbete eller inget arbete alls, ingenstans att gömma sig, inte en egen vrå, inte en egen stad och en utsliten tapper hustru tog hårt på männen.

Och efter det fyllböter, förtal och förakt.

Ångesten och sömnlösheten fick dessa män gratis.

Så hjälper oss arbetslösheten att upptäcka neurastenikerna och att utrensa dem ur samhället.

När de sömnlösa männen såg ut över ett hav av sängar med sovande och hostande barn är det många som möjligen önskade att de redan på ett tidigt stadium utrensats och steriliserats.

Det kunde då hända att den egendomslöse arbetaren gick ut i farstun och satte sig i trappan och grät.

Mot nazisterna på Nytorget tog dessa män ut sitt hat medan deras barn satt uppklättrade i paradisäppelträden och tittade på.

Ändå var barnrikehusets folk mycket lite politiskt medvetna. Dom orkade helt enkelt inte.

Dom tog ställning mot nazismen med knytnävarna och de ridande poliserna skadade många svårt.

Till Nytorget kunde de alltid gå även om de hade sex, åtta eller tio barn.

Till Spanien kunde de däremot inte åka.

När friden var som störst band pojkarna borstar, flickorna sydde och gubbarna spelade schack.

Söndagarna var för alla i dessa kvarter en stor plåga.

Kalvstek med sås, morötter och ärter och ett försök till ett familjeliv som inte fungerade eller ens existerade.

Till kyrkan gick hustrurna och vilade sina veckotrötta ben och gubbarna halvslumrade i nån soffa i bara undertröjor och långkalsonger drömmande den egendomslöse arbetarens dröm, som alltid är likadan och som inte förändras. Gubbarna drömde att de arbetade och de vaknade lika trötta som om de hade arbetat.

Barnen i barnrikehusen brydde sig mycket lite om dessa bondjävlar till farsor. Som talade dialekt, som bara sov, som bara satt och som då och då blev fulla.

De hade mycket lite förståelse för farsor som grät i fylla eller vanmakt. Det gjorde bara deras förakt större och detta förakt kunde ibland likna hat.

Då och då sökte sig någon av farsorna ner till husens pannrum och vilade sig med öppna gaskranar antagligen drömmande att de arbetade in i det sista. Till dess ett vänligt mörker föll och skiftet var slut.

Väktare vad lider natten?

Nattvakten J.F. Andersson tittar på sin klocka. Han ställer den på ringning till sitt nästa pass i den händelse han skulle slumra till.

Men Goebbels närmaste män sover inte. De sitter på en konstnärskrog i Berlin och siar om sin framtid: Man muss einmal ausspannen. I stället för att sova de få timmar man har till sitt förfogande. Ingen av oss blir mer än fyrtio år.

Långsamt fyller Andersson i en tipskupong. Han fastnar för namn som Arsenal, Leeds, Manchester, Nottingham. Han kan hela engelska ligan utantill. Han tänker tippa sig till pengar.

Denna vecka kommer det att bli många kryss och många bortavinster.

Detta är inte en affärsmans sätt att tjäna pengar. En affärsman skall spekulera. Han skall kalkylera och efter ett moget övervägande komma till en slutsats. Denna vara kostar så och så mycket i inköp. Han skall därefter sälja denna vara med en viss profit. En skälig profit.

Tippa skall han inte göra. Inte heller spela på lotteri.

Andersson blir mer och mer förvånad över sig själv. Han glömde om nätterna, då han verkligen hade tid att tänka, både vad brutto och netto betydde. Det visade sig att han som nattvakt bara var nattvakt.

Som affärsman var han inte nattvakt,

Ändå skulle han berätta för sina kunder om den räv han nyss sett. Han skulle berätta om de kor och tjurar han såg anlända till Slakthuset på nätterna. Kanske skulle han berätta om en älg som blivit påkörd på Sockenvägen och som genast måst avlivas.

Andersson fann det alltså egendomligt att om han om nätterna inte tänkte på sin barndom, sin ungdom, sina egna barn så tänkte han inte alls.

Eller också tippade han.

Det hände till och med att han nån söndag åkte till Solvllla och spelade tvåkronors på hästar.

Men det är klart. På tips kunde man vinna. Och om han vann så skulle han utöka. Lägga affären nere i centrum. Och ha en direktare kontakt med de fabrikörer han anlitade.

J.F. Andersson tänker tippa sig till pengar. Hans namn skall inte en gång till stå i Justitia.

Den lysande affären Västgötalagret kanske inte skulle bli så lysande utan en större tipsvinst.

Och sen hade han Herman och Nyqvist att tänka på.

Dom skulle inte behöva komma i klämma.

Inte om affärsmannen J.F. Andersson fick fortsätta vara frisk och arméerna satte igång att marschera på allvar.

Andersson skulle kräva sin del av krigsprofiten.

Men än så länge var det säkrast att tippa.

Som affärsman tippade inte Andersson. Som

affärsman trodde han inte på mirakel.

Men nattvakten Andersson om inte direkt trodde så i vilket fall hoppades på lite tur.

Som affärsman visste han att han nog skulle klara både Herman och Nyqvist men som nattvakt visste han det inte.

För ovanstående förbindelse å Fyrahundra kronor jämte ränta gå undertecknade en för båda och båda för en i borgen såsom för egen skuld.

Åkare Nyqvist och plåtslagare Herman.

General Franco tippade förmodligen också under ensamma nätter och kanske var lika insatt i engelska ligan som J.F. Andersson.

En sak som man inte i allmänhet har reda på utomlands är, att Franco har måst skriva under räkningar för nästan all krigsmaterial och ammunition som han fått från Tyskland och Italien och att denna summa redan går en bra bit över tjugo miljoner pund.

För ovanstående förbindelse å 20 miljoner pund jämte ränta gå undertecknade en för båda och båda för en i borgen såsom för egen skuld.

Der Führer och Il Duce.

Affärslivet hade sina sidor, den saken var klar.

Hörnstenen i det system, som kan betecknas som Tysklands första metod, är att från de centraleuropeiska staterna importera vida mer än Tyskland exporterar till dem och sedan vägra att betala mellanskillnaden; härigenom kommer en stor del av dessa länders exporthandel att bero av infrusna tillgodohavnaden i Tyskland — vilka naturligtvis kan ges ut endast inom själva Tyskland. Och eftersom exportörer till Tyskland, som står på ruinens brant, måste ha hjälp av sina regeringar och statsbanker, undergår deras valuta inflation. Så småningom kan regeringar, banker och en stor del av industrin bli beroende av Tysklands barmhärtighet. För att likvidera sina infrusna tillgodohavanden i Tyskland tvingas andra stater att godta tyska industrivaror, som de inte behöver, som t.ex miljoner munspel eller tyska vapen av en kvalitet som visat sig oduglig i Spanien och som Tyskland önskar bli av med.

Affärsvärlden är hård herr Andersson och med moralen är det tydligen lite si och så. Europas regeringar tvingas spela munspel på bakgårdarna för att få ihop till statskassan.

Nattvakten J.F. Andersson tror på bortavinst för Arsenal.

Så mycket mer tror han inte på.

Hemma i köket i barnrikehuset vaknar fru Andersson och lyssnar länge till den äldsta dotterns torra hosta. Sen går hon upp och värmer vatten och en stund senare väcker hon dottern med honungsvatten. När dottern återigen somnat dricker fru Andersson själv honungsvatten.

Hon lägger sig igen och hon ligger länge vaken. Alldeles stilla ligger hon men hon blundar inte. Det är som om hon tänkte men hon tänker inte. Det är som om hon undrade men hon undrar inte.

Hon ligger där hon ligger med öppna ögon och alldeles stilla.

Huset i övrigt sover inte helt. Fru Andersson hör småbarn skrika. Hon hör de som har tidiga skiftarbeten långsamt och med tunga skor gå ned för trapporna.

Hon lyssnar på den svarta klockans slag och en stund senare på samma antal slag ifrån Sofia kyrka. Dagarna i Västgötalagret tröttade ut henne, hon tyckte inte om att bara sitta bakom en kall marmordisk. På förmiddagarna hade Västgötalagret mycket lite kunder, det var först på eftermiddagarna då gubbarna kom från jobbet som affärer gjordes. Och fru Andersson visste att det inte var några lysande affärer. Det hade hon nu heller aldrig väntat sig. Hon hade bara väntat sig besvär och bara fått besvär. Hon var närmare sina barn än herr Andersson men ändå inte tillräckligt nära. Hon älskade sina barn men hon krävde inte kärlek i gengäld. Hon krävde i stället av en högre makt att barnen skulle få vara friska, att den klena dottern skulle bli starkare och att sonen inte skulle dras in i något gäng. Tillräckligt många av de äldre pojkarna i huset hade villkorlig dom, en del hade till och med fängelse. Hon hade sett deras mödrar och av deras ögon gissat sig till att en sådan smärta är svår. Hon ville inte besöka sina döttrar på ett sjukhus och heller inte besöka en son på ett fängelse. Men hård var denna stad och hård var tonen i detta kvarter. Gatan och gården var barnens enda lekplatser och hon hade sett hur de drev i horder ner mot Tegelviken och Barnängen. Sonen sa aldrig vart han skulle gå eller var han hade varit, hon visste inte om dom gröna bananer och orostade jordnötter han då och då kom hem med var stöldgods eller gåvor av sjömän. Men det värsta av allt var att fadern och sonen inte hade någonting att säga varandra. Aldrig sa nånting till varandra. Hon trodde sig märka att Andersson då och då med någon mening trevade sig mot sin son men att sonen var alltför lyhörd och alltför på sin vakt för att låta sig nås. Fru Andersson kunde då och då säga till sonen att han borde göra ett försök, bara för herr Anderssons egen skull, att tala med sin far. Men hon ångrade sig nästan alltid genast. Hon ångrade sig därför att sonen ingenting förstod. Han fattade inte och sonen kunde efter en sån uppmaning bli grubblande. Som om han verkligen försökte översätta till sig själv vad det var som han egentligen blev uppmanad att göra. Ett vänligt ord bara, kunde fru Andersson säga, ett vänligt ord. En son behöver kanske inte sin far, men en far behöver sin son. Din far har levat ganska länge, kunde hon säga. Han vet kanske mer än du tror. Han förstår kanske mer än du anar. Tala någon gång med honom. Detta gjorde sonen bara ännu mer grubblande och fru Andersson kunde tydligt se att sonen verkligen ansträngde sig för att begripa vad fru Andersson talade om. Hon kunde ibland säga att sonen skulle tala med sin far om vad som helst, det spelade ingen roll. Ingen som helst roll. Bara någonting blev sagt. Det kunde till och med gå så långt att fru Andersson sa till sin son: Du skall begripa att din far är en mycket ensam människa. Några ord skulle göra honom mindre ensam. Fru Andersson hade märkt att detta bara gjorde sonen nervös och hon trodde till slut att sonen verkligen inte förstod. Hon visste att J.F. Andersson hade förlorat något mycket väsentligt i livet, en fast tro på sig själv. Hon visste att Västgötalagret inte skulle återskänka honom denna tro. Möjligen nattvaktsarbetet förutsatt att han inte började grubbla. Möjli-

100

med våra sablar.

Den lilla judegumman Krik som inte ens är en och en halv meter hög ser med klara bruna ögon mot barnrikehuset snett emot hennes fönster. Hon ser att man är hemma i de flesta familjerna.

Rullgardinerna är inte nerdragna.

Hon ser tända julljus och granar och hon ser hur man äter risgrynsgröt och lutfisk.

Hon ser barn öppna paket.

Hon ser brinnande tomtebloss som någon i glädje kastar ut genom sitt fönster.

Klockan är sju. Det ringer i kyrkklockorna. Det är kväll och det är julafton.

Kanske det är kallt ute. Kanske det är mindre kallt.

Gatan är tom.

Kanske det snöar.

Det blåser. Hon ser på den svängande lampan i gatans mitt att det blåser.

Fru Krik är mycket gammal men hon har klara bruna intelligenta ögon.

Hon har vilat i sin gröna soffa i halvmörkret hela eftermiddagen. Hon tror sig ha drömt. Hon vet det inte riktigt, men hon tror sig ha drömt om en båtfärd på Svarta havet och att hon varit ung. Det tror hon att hon har drömt, men hon vet det inte med säkerhet.

Fru Krik har redan öppnat sin julklapp. Fru Andersson hade redan klockan tre på dagen lämnat fru Krik sin present. En från Västgötalagret hämtad stickad blå kofta.

Den var kanske aningen för stor, men den var

varm och den var blå.

Hon ser mot barnrikehuset och hon ser att barnrikehuset andas frid.

Att det precis klockan sju julafton 1938 rådde frid i barnrikehuset.

Hon unnar detta hus en smula lugn. Det ägde inte mycket av lugn och hon hoppas att friden skall vara, åtminstone till dess klockan blir nio.

Mer än två timmars frid kunde barnrikehuset knappast hoppas på.

Dessa kvarter bebos av fattigfolk, som ingen framgång haft i livet. En julafton på två timmar eller mera vållar dessutom genom den hycklade friden talrika fall av vansinne. Människor med dåliga nerver uthärdar inte en julafton.

Så hjälper oss julafton att upptäcka neurastenikerna.

Det kanske inte ens skall dröja två timmar innan någon fader med hjälp av julspriten och med minnet av sina egna varma väldoftande julaftnar i någon småländsk skogsby kastar ut granen och sparkar sin hustru. Till slut kanske blir nedslagen av sin äldste son eller får armarna vridna bakåt av några poliser.

Stilla natt. Heliga natt.

Fadern skall trots sitt utbrott inte kunna frigöra sig från den kraft som försöker spränga hans bröstkorg och det skall inte en enda millimeter hjälpa honom att nå den kontakt med sin tillvaro som han eftersträvar.

Kanske faller en hustru i hjälplös gråt över juldisken då hon ser sina barn pröva Sällskapet Jultomtarnas pjäxor eller plundrande en slumsysters fruktkorg.

Mannen skall då längta till arbetskamrater och stansmaskiner, till spadar och revolversvarvar.

Barnen skall då tyst hata. Julljusen skall inte spegla sig i deras ögon och julen själv bli det falska och det förljugnas stora högtid.

Fru Krik unnar verkligen detta hus andrum, frid och lycka.

Så många halvvuxna barn, så mycket skolbarn, så mycket småbarn.

Så många torra asfalts- och bakgårdsögon redan intagande en försvarsattityd mot livet. Många skulle klara sig men många skulle inte klara sig.

Om tiden fortsatte i samma stil.

Men det skulle tiden inte göra.

Det skulle ju bli krig.

Fru Krik hade från sitt fönster följt barnen i många år. Hon hade sett dem flytta längre och längre in i klungan.

De stod i klungor. De äldsta i mitten spottande och berättande. Utanför de äldsta de något yngre lyssnande och lärande. Sedan utanför dessa de ännu mindre och längst ut runt klungan de små och riktigt små.

De äldsta försvann och de nu äldsta tog deras plats och på så sätt hade hon sett barn förflytta sig in emot klungans mitt ifrån att ha stått längst ut. Barnen tycktes aldrig ta slut.

Hon hade sett dessa barns fäder vanka arbetslösa och oförmögna upp mot Segelbergen för en femöres poängpoker.

Hon hade sett deras mödrar, födda till lagårdspigor av en fri bondestam, på motvilliga och stelt förödmjukade ben vandra iväg till fattigvården.

Men hon tyckte sig märka att det började bli bättre. Och hon ville att det snabbt skulle bli bättre. Det började finnas arbete. Det började finnas söner som kunde arbeta. Springschascyklar i alla kulörer och format trängdes på gatan. Men hon trodde nog att en trettonåring på en vällastad trehjuling kunde ha ganska slitsamma dagar. Hon hade sett dem i Götgatsbacken, och på Katarinavägen på väg från Slussen.

Några ligor i egentlig mening ägde inte barnrikehuset. Därtill fanns det alltför många barn. De som åkte dit för polisen var i allmänhet de som drev ensammast.

Fru Krik tänker på pojkarna i det stiftelsehus för judar hon själv bor i. Dom hade det svårare.

Hon hade märkt att många av judehusets pojkar accepterades av barnrikehuset men att också många inte gjorde det. Men hon hade också märkt att det var ett stort antal barn inom barnrikehuset som heller inte accepterades av det som kunde kallas det egentliga gänget.

Judepojkarna hade det svårare. Några av dem tog till lite för våldsamma metoder för att bli accepterade och hon visste att några sysslade med rent kriminella tilltag.

Barnrikehusets barn kallade judebarnen både för judejävlar och knabos men inte med något större allvar. Någon fiendeskap barnen emellan fanns inte, det tillät helt enkelt inte gatan.

De arbetslösa männen i barnrikehuset kunde däremot vara ganska så elaka emot de luggslitna gamla judar som bodde i huset och senare när lite rikare judar flyttade in blev det ganska lätt att skrika förbannade kapitalistjude.

Och i mjölkaffären var det fullt tillåtet att öppet tala om dom där judarna som bara tog för sig. Härvidlag visade de flesta av barnrikehusets trötta hustrur ingen barmhärtighet.

Men detta skulle få ett hastigt slut.

Frågan var bara när.

Det kunde hända att en argsint uttröttad åttabarnsmamma högt och för alla som ville höra på förklarade att klappjakten på judar i Tyskland var nånting som vi skulle ta efter. Vi som bodde så jävla nära dom.

Och några fler skulle vi fan ta mig inte ta emot.

Det kunde Östermalm göra.

Söder hade nog av sin skit.

Detta är låt oss säga fru Petterssons personliga åsikt.

Kyrkoherde Ernst Ålander har kommit till ett liknande resultat, det är bara det att han vill inte tillåta judar ens på Östermalm:

Vi har alldeles för många judar i landet förut. Sverige skall inte vara en avstjälpningsplats för främmande och för vårt folk skadliga raselement. Bestrider man denna enkla och självklara sanning, då erkänner man principiellt, att landet bör öppnas för invandring av kineser, negrer, mulatter, sambos och alla tänkbara raser och rasblandningar, så snart någon av dem råkar i trångmål genom eget förvållande. Jag undrar hur man i så fall uppfyller kristendomens bud mot sin egen folkstam, som väl borde stå oss närmast.

Vi borde för övrigt i vår s.k. upplysta tid ha

vunnit en bättre insikt om Jesus och hans lärjungar än att hålla före, att de voro judar. Jag kan förstå och respektera den ovilja, som många ha, att i detta samband nämna ordet nation eller ras. Men då man påstår att de voro judar, så måste ett sådant misstag rättas.

Nej hatet mellan stiftelsehusen, judehuset å ena sidan och barnrikehuset å andra sidan, var mycket litet. Man hatade därför att man ingenting hade att älska.

Fru Pettersson kunde lika gärna sagt så här i mjölkaffären: Dom där ensamma mödrarna med bara ett barn som bor i sin stiftelsekåk vid sidan av judehuset dom skulle det vara klappjakt på. Barn kan dom ställa till och sen ska dom ha all möjlig hjälp.

Eller också kunde hon föreslå klappjakt på människorna i stiftelsehuset för änkor eller i det för gamla.

Konsul B. Wallén talar i riksdagen: Jag erkänner utan att blygas: i dag är jag antisemit. Det vore icke lyckligt för den svenska demokratin om vi finge en judefråga i Sverige. Jag tror för övrigt inte att herrarnas intresse för judarna är så varmt. Är det inte snarare en önskan att reta Hitler som ligger bakom? Judarna passa inte tillsammans med vårt hyggliga svenska folk.

Han får svar bland annat från Zeth Höglund:

Jag beklagar att den avskyvärda antisemitismen med hr Walléns anförande hållit sitt intåg i den svenska riksdagen. Herr Wallén förklarade att han talade utan att blygas och det märktes. I stället måste kammaren blygas för att hysa en representant för en barbarisk åskådning, som genom sina verkningar väcker hela världens avsky.

Det är möjligt att kammaren blygdes. Uppsalastudenterna gjorde det inte. Inte heller svenska läkarkåren.

Arbetarna på Söder slogs med knytnävarna mot nazisttalare i parkerna, men kunde ändå trötta och skrämda skälla ut nån judejävel.

Flyktingfrågan skulle aktualiseras och länderna anklaga varann för bristande förståelse för de tyska judarnas problem. Många länder gjorde sitt bästa för att ta emot flyktingar men undgick kanske inte en nationell debatt.

I Sverige kommer man att säga både det ena och det andra.

I Uppsala beslutar 1 200 studenter att satsen "att Sverige icke bör undandra sig sin andel i hjälparbetet" skall strykas.

Flyktingfrågan är också ett rasproblem, det vore löjligt att bortse därifrån. En av Sveriges största tillgångar är, att det inte haft något ras- eller nationsproblem tidigare. Detta är också något att slå vakt om.

På lasaretten torde dessa utlänningar icke ha några som helst chanser till anställning, säger ordföranden i Sveriges lasarettsläkareförening dr G.L. Bomansson.

Redan det faktum att en person är flykting visar att han icke — av ena eller andra skälet — så anpassat sig i sitt hemland att han där kunnat eller fått kvarstanna.

Statsminister P.A. Hansson säger: Jag måste säga, att den svenska flyktinghjälpen är tillräckligt restriktiv, ja jag skulle snarare förstå om man ville göra gällande att den kanske är alltför sträng för att passa överens med humanitetens krav.

Allan Vougt: Politiska flyktingar äro nästan alltid duktiga människor. Judarna äro ingen ras utan ett folk eller en religionsgrupp.

Andra säger: Kan det vara riktigt att anslå miljoner till försvaret och samtidigt ta emot folk, som saknar fosterlandskänsla och för vilket penningen är det förnämsta?

Tyskland föreslår att Frankrike skall släppa till Madagaskar och där upprätta en judisk stat.

Senare kommer den tyska staten själv att upprätta judiska stater som Auschwitz, Belsen, Majdanek, Lublin och Dachau.

Ännu är tidens galenskap och vart den kommer att leda inte helt uppenbar.

Det är ju fortfarande fred, åtminstone på de flesta håll i världen.

Åt barnrikehusets frid ler fru Krik med sina klara ögon. Åt friden och åt den dröm hon trodde sig ha haft: att en gång i en vit klänning ha varit passagerare på en ångbåt på Svarta havet. En resa utanför Odessa till dragspelsmusik och tragiska ryska sånger.

Fru Krik var gammal, hennes minne grumligt. Ryska talade hon fortfarande med sig själv och på jiddish med sina grannar.

Hennes svenska var inte bra. Hon hade bott här länge visserligen men ändå inte tillräckligt nära språket.

Odessa.
Wien.

Paris.

Stockholm.

Vart hade hennes ungdom tagit vägen?

Fru Krik hade sett bröder och släktingar mördas i Odessa. Hon visste vad judepogromer ville säga.

Hon visste vad som komma skulle.

Men hon trodde det ändå inte.

Inte en gång till.

Kanske ändå. Dumhet, grymhet och intolerans såg ut att vara fästen mänskligheten inte gav upp i första taget.

Fru Krik ser sig omkring i sin lilla ovädrade och tungt möblerade lägenhet. Hon trivdes. Hon väntade sig ingenting annat än att en dag ostörd somna in för evigt. Hon orkade inte mycket mer. Hon orkade inte ens gå ner i husets församlingssal under de judiska högtiderna.

Det gjorde heller inte de judepojkar i huset som räknade sig till gatans gäng.

Fru Krik avundades ingen.

Hon såg då och då på fru Andersson. Fru Andersson som också hade klara bruna ögon och en inre glädje som inte gick att bryta ner. Men fru Krik hade ändå märkt fru Anderssons oro.

Fru Anderssons oro för sina barns hosta, för mannens astma. Och nu på senaste tiden hennes ängslan för den affär mannen öppnat, Västgötalagret.

Hon trodde sig förstå på fru Anderssons ögon att mannen inte skulle klara upp denna affär, att han återigen en dag skulle gå till sängs för att aldrig mer stiga upp. Hon hade sett fru Anderssons ängslan för sonens del, att sonen skulle tvingas till stordåd som hörde gatan till.

Fru Andersson var fru Kriks vän. Fru Andersson var också att betrakta som flykting, som jagad. Dessutom hade de sin egendomliga trötta le´dvärk gemensamt.

Då de ibland vilade i fru Kriks gröna soffa vilade de i varandras erfarenheter och öden. Och det var som om de kommit till ungefär samma resultat i livet.

De hade slitit ut sig och de kände sig ensamma. Ändå visste de att dom inte var ensamma om att ha slitit ut sig, att det inte var något särskilt, att det var vanligt och att det alltid hade varit så.

De trodde var och en på sitt sätt på en himmel.

De talade mycket lite, de beklagade sig ännu mindre.

De kände sorgen och rotlösheten.

Under krig och krigshot hade de levat och kanske till och med fru Kriks far nångång sagt att den dagen skulle komma då människan skulle tvingas äta sitt eget träck.

Ändå trodde de båda att det skulle bli bättre.

Att fastän kriget nu var omöjligt att avvärja skulle det inte nå så långt norrut.

November hade lovat fred i deras tid. Ingen av dem trodde sig ha lång tid kvar.

Vad de ville ha blivit lovade var fred i barnens tid.

Men det löftet gav dem ingen.

Fru Krik ser mot fru Anderssons fönster. Där är det inte tänt. Familjen Andersson firar julafton i eljobbarnas omklädningsrum ute i Enskede slakthusområde. Det visste fru Krik och fru Krik hade till och med skickat med en hyacint till herr Anderssons vaktkur.

Blåsten tilltar och lampan i gatans mitt svänger häftigare. Det ser ut som om det snöade, eller blåser det ifrån taken. Gamla människor kommer från kyrkans julpredikan men snart ligger gatan åter tom.

Världen ligger tom i hycklad fred.

Och världens tomhet och tidens meningslöshet speglar sig i den gamla judinnans ögon.

Hon snyter sig där hon står liksom om hennes tårar rann direkt ner i näsan och i hennes hals.

Som om hennes kinder längesedan upphört med att ta emot tårar.

Hade hon drömt? Hade hon någonsin sett Odessa? Eller en ångbåt på Svarta havet?

Hade hon någonsin gått en söndagspromenad och kanske druckit ett glas vitt vin i sällskap med en ung kavaljer från Bratislava eller Budapest på Rådhuskällaren i Wien?

Hade hon någongång någonsin vandrat längs kajerna i Paris i sällskap med en ung amerikansk medicinare som hette Emanuel Muhlstock?

Hon kunde inte riktigt komma ihåg.

Hur hade hon kommit hit?

Hade hon alltid ifrån ett fönster i ett ovädrat och övermöblerat rum iakttagit, i ett lätt snöfall och i blåst, de fattiga kristnas omöjliga strävan till frid?

På flykt. Förföljd.

Hon kunde inte minnas.

Som representant för Europas judar, just nu plågad, förorättad, våldtagen, skändad och till slut dragen inför ett herrefolks godtyckliga domstol för att dömas.

Till vad hade man 1938 inte riktigt klart för sig. Eller hade man det?

Anade man 1938 vart de tyska judepogromerna skulle leda?

Ändå talades det 1938 om koncentrationsläger, både sådana som upprättades i Tyskland för judar, pacifister och homosexuella och de som fransmännen upprättade för de spanska flyktingarna.

Och medan herr Mac Rucart, franska hälsoministern, har panna att per film visa och prata för Frankrikes "generositet" mot de spanska flyktingarna, så känner man en kokande lust att resa sig upp och be herrn om audiens för att spotta honom i synen.

Folkmord var ingenting nytt.

Folkmord var någonting mycket gammalt.

Med vilket mått skulle nu de kommande åren mätas?

Ingen visste.

Men ett löfte skulle infrias: Det skall inte längre finnas någon jude kvar i Tyskland eller i något annat land det tyska livsrummet skulle komma att kräva.

Men gamla fru Krik skall inte orka oroa sig. Hon skall inte leva så länge att hela sanningen skall uppenbaras.

Sanningen att den 1938 utlovade utrotningen av hennes folk i Europa efter fem år kan rapporteras till i det närmaste helt genomförd.

Det som skedde nu var bara uppmjukning. Och man tränade inte enbart på judar. På Himmlers order piskades i hans läger homosexualiteten ur de

det samtidigt med att frågan ställs upplyses om att det står så i Bibeln.

Vad skulle dom annars svara.

Civiliserade människor av ingen anledning alls.

Den snålhet som judejävlarna anklagades för kunde inte vara ett tillräckligt bra argument. Men att dom hade mördat Guds egen son det var ett bra argument.

Särskilt som krafter inom svenska kyrkan kraftigt protesterade emot antagandet att Jesus och hans lärjungar varit judar.

Det kunde låta som ett bra argument till och med på östra Söder även om kristendomen som där praktiserades var närmast obefintlig.

Man visste att dårar var i farten i Tyskland. Men man visste också att vi hade tillräckligt med dårar här i landet.

Man kunde säga att dom jävla judarna äger allting men man visste också att det inte var sant. Den egendomslöse arbetaren såg ingen rasskillnad när det gällde storkapitalisterna som, sa man, verkligen låg bakom det hela. Hela den skit man nu i många år trampat i. Jude eller inte jude. Kapitalister, fascister och imperialister skulle nog fan se till att dra sig ur det hela med vinst hur många kvinnor, barn och unga män som än skulle tvingas dö för sitt lands färger.

Möjligen är detta sant, möjligen inte.

Men att fattigkvarterens arbetare gick mitt över gatan och slog en judisk arbetare på roten berodde på nånting annat än rashat och hade sin grund i samma hopplösa och meningslösa argument han tog till för att försvara att han sparkade sin fru.

Depressionen och tiden före 1938 hade gjort arbetaren till en förödmjukad och desperat slav. Det enda han hade haft att sälja hade varit sin egen arbetskraft och det hade man inte tillåtit honom.

De vilsekomna och desperata främlingarna från Norrland och Småland skrämdes kanske av sin egen spegelbild i de vilsekomna och förödmjukade skyggt klädda mellaneuropéerna. Dom skulle ta mig fan inte äta före dom.

Men bilden blir naturligtvis varken klarare eller vackrare för det.

Världen var som den var. På väg att bli helgalen.

Och Sverige med världen.

Oxfordgruppen håller möte i Visby under mottot: Norden under Gud kan bli folkförsonaren.

Den japanske finansmannen Takasumi Mitsui gör följande uttalande: Jag har hört att Norden önskar bli folkförsonaren och detta är det budskap som jag behöver taga med mig till Japan. Där behöver vi en lösning på nationella, politiska, ekonomiska och internationella problem. Om de nordiska länderna kunnat få denna folkförsoningsanda, skall deras inflytande bidraga till ett svar på spörsmålet i fjärran östern och till ett världsfredens återställande.

Sven Stolpe berättar i Svensk damtidning: När Frank Buchman nyligen fyllde sextio år fick han ett telegram också från Nya Guinea med hälsningar från tre tusen förvandlade papuaner. Den engelske guvenören på Papua meddelade samtidigt att han kunnat iaktta hur antalet huvudjägare starkt reducerats tack vare Oxfordgruppens arbete.

När klockan är nio julafton 1938 ser fru Krik

fyra stadiga poliser med skyndsamma steg störta sig in i barnrikehusets ena uppgång.

Friden är slut.

Hon vänder sig bort. Hon är trött och utan att orka klä av sig somnar hon inlindad i en filt på sin gröna soffa.

I en total ensamhet önskande sig en dröm som inte skulle stämma med den verklighet hon kände till.

En dröm högtidlig som en påsk och lekfull som en svartahavssommar. En vitklädd dröm om en skolresa till Balaklava eller en promenad i Jardin du Luxembourg.

Och inom Enskede slakthusområde firar J.F. Andersson sin jul.

Fru Andersson har gjort det så trevligt som möjligt på det lilla utrymme som står till förfogande. Hon har tagit med lite julskinka och lite lutfisk och några julklappar.

Eljobbarna hade tidigare på dagen haft en glöggfest och nån hade haft med en liten gran.

Så man hade gran.

Det var ett bra ställe att fira jul på.

Det var åtminstone annorlunda och J.F. Andersson firar sin jul med klara luftrör och utan ångestens astmatryck över sitt bröst.

En jul med arbete och en affär.

Till julen hade Västgötalagret sålt en och annan extra varm strumpa. Det hade gått bra. Affären skulle förmodligen komma att gå bra. Det var ju på Söder arbetarna behövde slitstarka blåkläder och nu till vintern präktiga underkläder och mössor. Det började finnas arbete och fanns det bara arbete så skulle det behövas arbetskläder. Och så länge det behövdes arbetskläder så skulle J.F. Andersson sälja.

Kanske var detta en alldeles lycklig julafton. När Andersson går sin runda bland elverkets tunga tillhörigheter har han i sällskap sin son. Detta skänker honom den trygghet och den känsla av gemenskap han anser julen bör skänka en familj.

Han berättar för sin son om sin vän räven och hur han som barn då han gick till skolan ofta gick vid sidan av ett rävspår. Att han då han för en tid sedan gått vid sidan av rävspåret i Enskede liksom i sina tankar återigen gått sin skolväg.

Att det blev så när man blev äldre. Att man kanske inte alltid kom ihåg vad som hänt i förra veckan eller ens dan innan men att det som hänt för mycket länge sen plötsligt återkom i ens minne.

Och sonen traskar vid sin faders sida också han lycklig. Lycklig över att fadern var lycklig, halvt om halvt lyssnande till den invecklade berättelsen om räven. Men det var någonting annat hans öron egentligen hörde. Sonen hörde sin fader andas utan att det lät som plågade fåglar bodde i hans bröst.

Sonen grubblar över om fadern här om nätterna då och då filar sina tänder med den hemska filen utan skaft.

Han förstår plötsligt att fadern måste vara mycket ensam de långa vinternätterna och han förstår att fadern då och då vandrar sin långa skolväg vid sidan av ett rävspår.

Fadern berättar om rävar och att han när han inte var stort mer än lika gammal som sonen är nu tvingades sitta uppe om nätterna och vakta på räv.

Man lurar inte en räv i första taget.

Och naturligtvis inte heller en västgöte.

J.F. Andersson tänkte på sin affär. Han såg i denna sin affärsverksamhet sina barns framtid.

Han ville nog att pojken skulle läsa.

Om bara världen kunde slippa undan det krig affärsmannen J.F. Andersson var i så stort behov av men som nattvakten J.F. Andersson såg fram emot med stigande oro.

Men denna julafton talar Andersson till sin son om rävar och hur lärare Fogelqvist i en iskall skolsal bankade multiplikationstabellen i hans huvud. Att en sån lärare förmodligen inte fanns nu. Han tyckte sig ha märkt att disciplinen i skolan nuförtiden inte var så krävande.

I det fallet visste sonen bättre. Nog blev man bankad i huvet alltid.

Man kunde till och med få stryk om det ville sig illa. Och ofta ville det sig illa i Sofia folkskola.

Andersson talar om att han på sin långa skolväg om vintrarna och hösten nästan alltid haft att gå i mörker, och att han inte någonsin varit rädd för mörker.

Han säger att han aldrig varit rädd för varken troll eller spöken. Att han däremot ofta på ljusa stadsgator kunde bli rädd för folk.

Sonen tror sig inte vara rädd för folk, däremot tror han sig inte ensam tordas gå den promenad som fadern har att promenera tre fyra gånger var natt. Slakthuset är skrämmande och de ekande hallarna i tegel är tillhåll för någonting som bara bönder förstår. Det luktar slakt och blod och råttor.

121

Och det ekar.

Fadern visar sonen omkring och han berättar hur djuren kommer med bilar från alla delar av landet och att själva slakten knappt tar nån tid alls. Och sen att allt på ett djur, till och med klövarna, tillvaratas och kommer till användning.

Han talar om hur kor och tjurar slaktas. Hur hästar slaktas.

Och hur man en gång slaktat en älg som blivit överkörd på Sockenvägen.

Han talar också om att djuren vet att de skall dö men att de inte hinner protestera.

Att grisarna kanske är de känsligaste djuren.

Att inga djur varken grisar eller hästar egentligen ville dö men att det var en nödvändighet.

Och medan J.F. Andersson visar sin son runt i Slakthusets alla hallar sitter kanske tyska ingenjörer och grubblar på en liknande inrättning.

Dom tyska ingenjörerna måste ha jobbat över denna julafton.

Fem år senare skall världen motvilligt lära sig förstå. Motvilligt därför att det som skett står över mänsklig fattningsförmåga.

Sonen och J.F. Andersson kommer att visas runt i ett helt annat slakthus genom en tidningsartikel:

Vart leder tittgluggen? För att få svar på den frågan öppnar vi dörren och går ut ur kammaren. Bredvid den ligger en annan liten betongkammare, dit tittgluggen också leder. Här finns det elektriskt ljus och strömbrytare. Härifrån kan man genom tittgluggen se in i hela kammaren. På golvet står här några runda, hermetiskt tillslutna burkar med påskriften "Cyclon" och — med mindre bokstäver

— "För användande i de östra områdena". Innehållet i dessa burkar fördes genom röret in i den bredvidliggande kammaren, då denna var fylld av människor.

Människorna var nakna. De hade ställts tätt inpå varandra och tog inte stor plats. På kammarens 40 kvadratmeter pressades över 300 personer ihop. De knuffades in hit, varefter ståldörren stängdes efter dem och ytterligare tätades med lera vid kanterna för att tillstängningen skulle bli mer hermetisk. En specialavdelning, iförd gasmasker, hällde därefter genom röret in cyclon från de runda burkarna. Det är små, ljusblå, till synes oskyldiga kristaller, som vid förening med syre omedelbart börjar utveckla giftiga gaser, vilka genast angriper alla centra i människokroppen. Genom röret hälldes nu cyclon in, SS-mannen som ledde avlivningsproceduren vred på kontakten, det blev ljust i kammaren och han kunde genom tittgluggen från sin observationsplats följa kvävningsproceduren, som enligt olika uppgifter varade 2 à 10 minuter. Genom tittgluggen kunde han utan fara se allt — såväl de döendes fruktansvärda ansikten som gasens stegrande effekt. Tittgluggen satt precis i ögonhöjd. Då människorna dog behövde iakttagaren inte se neråt; de döende kunde nämligen inte falla till golvet, eftersom kammaren var så fullproppad med människor, att de även efter döden stod kvar i samma ställningar.

Här finns allt: trasiga ryska soldatstövlar och polska soldatkängor, vanliga mansstövlar, lågskor och damskor och gummistövlar och pampuscher. Och — det värsta av allt — tiotusentals par barnskor: sandaler, lågskor och bottiner som tillhört tioåringar, åttaåringar, sexåringar och ettåringar. Det är svårt att föreställa sig en mera fruktansvärd syn. Ett förfärligt, tigande vittnesbörd om förintandet av hundratusentals män, kvinnor och barn! Om man går längst in i baracken kan man få förklaringen till detta fruktansvärda förråd. Här ligger tusentals, tiotusentals sulor, mellanläder, klackar, läderbitar — allt i särskilda högar. Här sorterades de skodon, som inte kunde användas som de var — klackarna lades för sig, likaså sulorna och lädret. Liksom allt annat i förintelselägret var också denna barack byggd för ett ändamål — ingenting efter de döda fick förfaras — varken kläder, skor, ben eller aska.

Här brände man i krematationsugnar av enklaste sort, som såg ut som stora järnkittlar, och här brände man i specialbyggda moderna krematorier, där blixtförbränning företogs. Här sköt man ner folk i massgravar och här dödade man dem genom att slå av halskotorna med järnstänger. Här dränkte man i bassänger och hängde på alla möjliga sätt, från den vanligaste hängningsmetoden till de mest invecklade med transportabla galgar, blocksystem osv. Det var en verklig likfabrik, där antalet dödade per dag reglerades av två omständigheter: för det första av antalet människor, som kom till lägret, och för det andra av den erforderliga mängden arbetskraft för den ena eller andra etappen av det ändlösa bygget.

Men julafton 1938 kunde nattvakten J.F. Andersson lugnt visa sin son Slakthuset och varmt tala för den effektivitet Slakthuset hade utan att behöva göra sig några obehagliga associationer. För sonen lät det hela obehagligt nog ändå, slakta skulle man göra på landet och bara ett djur i taget.

Sen skulle man göra korv och blodpalt.

Och gräva ner det man inte kunde ta till vara.

När sonen så småningom skall läsa om hur ett förintelseläger fungerar skall han associera till Slakthuset på grund av den mening som säger: ingenting av de döda fick förfaras.

Faktum är också att i Bukarest 1942 släpade Järngardet judar till stadens slakthus.

Det var just vad fadern hade sagt om Slakthuset i Enskede.

Glada och liksom mer nära varann återkommer nattvakten och hans son till eljobbarnas rum och där sjunger radion julsånger.

J.F. Andersson värmer lite glögg.

Han har i alla fall en son.

J.F. Andersson och son.

Familjen äter sin julmiddag och fru Andersson skall senare läsa julevangeliet.

Men inte högt.

Fru Andersson skall i julevangeliet längta tillbaka till en stuga i en skog och inom sig skall hon höra sin faders röst.

Det hade varit hennes stora högtidsstund i barndomens tidiga jular. Och om hon hade tordats så skulle hon bra gärna vilja läsa högt i kväll. Men hon tordes inte.

Barnen skulle inte förstå.

Hon visste inte längre vad barn förstod.

Men även fru Andersson skulle se tillbaka på julen 1938 som en bra jul.

Hon gladde sig åt J.F. Anderssons blå ögon då

han såg på sina barn.

Också fru Andersson trodde på en framtid.

Hon såg långsamt på sin familj. På J.F. Andersson värmande glögg, på äldsta dottern och på sonen och på yngsta dottern.

De voro alla friska.

Och där nånstans, trodde hon sig förstå, börjar lyckan.

Slagverk

Det finns inga bin längre i Volynien. Krönikan över våra dagliga ogärningar pressar mig oavlåtligt, som ett hjärtlidande. I går började de första striderna vid Brody.

I och med Kreugerkraschen i mars 1932 hade J.F. Andersson gått i säng med svår andnöd och ångest och så blivit liggande i sex år.

Så till den grad affärsman?

Fick han kanske inte på grund av överkänsligheten en lite väl stark dos av den strupkramp Europa led av vid denna tid?

Det är kanske att försvara eller romantisera J.F. Andersson.

En svensk mästare i strut gick till sängs på grund av astma.

Det är sant.

Sant är också att många andra människor, inte

sina tributpengar där.

Hitler skall återinföra allmän värnplikt och återupprätta den gamla tyska armén om minst 600 000 man.

Frankrike skall inte våga göra något emot oss, men om fransmännen verkligen försöker ockupera Rhenlandet, skola vi kasta ut dem.

Hitler skall återfå den polska korridoren, den tyska delen av Oberschlesien och våra kolonier; om Frankrike uppför sig hyggligt, kan det få behålla Elsass-Lothringen.

Hitler skall avskaffa republiken.

Hitler skall ge de arbetslösa arbete.

Hitler skall förbjuda kommunistpartiet.

Hitler skall köra judarna ur Tyskland.

Hitler skall skapa ett Tyskland åt tyskarna, och om några utlänningar vilja göra affärer här skola de få uppträda försiktigt.

Vi förneka ingenting som vi ha undertecknat; vi undertecknade inte Versailles.

Hitler levde under denna tid på en 20—30 Hoffmans droppar om dagen. Han led inte av andnöd precis.

Jag säger er, ropar Hitler, vänd till socialdemokraterna, vi komma i alla händelser att störta er (raseri i flera minuter).

Till Hindenburg säger Hitler: Gamle man, du är allt för vördnadsbjudande för oss för att vi skola tåla att detta "system" gömmer sig bakom din rygg. Du måste träda åt sidan. Vi vilja i mars se mera än en vanlig månad, se en historisk dag för Tysklands utveckling, på vilken det skall heta: det tyska folket har vunnit sin ära tillbaka.

Ett makalöst jubel hälsar Hitlers tal och de 12 000 åhörarna sjunga den nazistiska stridssången.

Vad Hitler i övrigt är vet man emellertid icke. Det får framtiden utvisa. Måhända kan han bli en vidsynt statsman, verksam efter stora linjer, som Mussolini visat sig vara det. Måhända är han endast ett mäktigt språkrör för en folkstämning.

I Stockholm försöker man hänga med. På Hötorget talar hr Furugård även kallad Deje-Hitler.

...framför talarstolen stod en livvakt av unga hakkorsmän och skolpojkar, men i främsta ledet trängde några inte alltför livserfarna rödafrontmän på. Allra främst stod i alla fall en gammal filosof i gylfknäppt mörkblå paletå med sammetskrage. När Deje-Hitler skällde ut Vin- och spritcentralen och någon rödfrontkämpe skrek "vad skall vi göra åt det då?" så svarade gylfknäppte filosofen: kasta motboken.

När Hitler sa att folket representerades av idel medelsvenssöner och storkäftar — herr Furugård har själv mycket liten mun — så konstaterade filosofen torrt och saktmodigt: bort med riksdan.

I Genève är det gratisutdelning av astmacigarretter när kriget mellan Kina och Japan är på tapeten.

Betecknande nog är det småstaterna som uppträda karskast. Deras talesmän kunna kosta på sig att yrka på åtgärder. De göra det i det medvetandet att deras stater kostar det ingenting. Ingen människa ifrågasätter att bogsera den norska eller danska marinens gamla skorvar till Ostasien. Sveriges flotta skulle säkerligen inte injaga nämnvärd fruktan hos de stridande om den ångade iväg till kinesiska farvatten.

Sir John Simon trodde icke att saken låg så enkelt till, som ett vanligt slagsmål mellan ett par busar i fyllan och villan. Han ville rent av ha en undersökning till stånd.

I Sverige dömdes de ansvariga bakom Ådalskravallerna då fem arbetare dödats den 14 maj 1931. Mesterton dömdes för försummelse vid fullgörande av tjänsteplikt att hållas under arrest utan bevakning i åtta dagar. Beckman dömdes för oförstånd vid fullgörande av tjänsteplikt att hållas i vaktarrest i tio dagar. Tapper dömdes för tjänsteförsummelse att hållas i arrest utan bevakning i tre dagar. rätten fann att Rask icke kunde dömas till ansvar för sin skottlossning.

Det fanns all anledning att gå till sängs och där bli liggande våren 1932.

Året verkar inte ta slut så fort och det är bäst att bli liggande tills det hela klarnar en smula. Kanske inte liggande, mer halvsittande för att lätta trycket på Europas och världens av ångest svettiga bröstkorg.

Det är bäst att bli liggande i sex år. Det är ändå bara en kort tid.

Men kasta inte motboken som den gylfknäppte filosofen föreslog. Den kommer fattigvården och hämtar.

För övrigt iakttar man stillsamhet.

Läget är förvirrat.

Leo Trotskij säger: Att inbilla sig att de ledande kretsarna i Frankrike skulle draga i tvekan att uppträda som beskyddare av ett fascistiskt Tyskland är barnsligt naivt.

Hitler vid makten skulle betyda en förstärkning

av den franska hegemonin, och just av det skälet skulle Hitler vid makten betyda krig — inte mot Polen, inte mot Frankrike utan mot Sovjetunionen.

För att göra en intervention i Ryssland möjlig kräves en stor, industrialiserad och dessutom kontinental stormakt — en som skulle önska att vara i stånd att påtaga sig den största bördan av ett pilgrimståg mot Sovjet. För att vara precis — det skulle behövas ett land, som inte hade något att förlora. En blick på Europas karta övertygar oss om att endast ett fascistiskt Tyskland skulle kunna påtaga sig en sådan uppgift.

Och i mitten av mars begår Ivar Kreuger självmord.

Och vad hör fru Krik där hon lyfter ett glas vitt vin på Rådhuskällaren eller på något litet kafé vid St. Stefansdomen i Wien?

Man förebrår en nationalsocialist, att vi tänker fylla Kärntner Strasse med hängda judar, när vi fått makten här i Wien. Kärntner Strasse! Kamrater, tror ni det räcker med Kärntner Strasse!

Förenta staternas president Hoover kastar sig ur sin säng med en sång på läpparna, medan man i Lausanne inte kan enas om ifall tanks och kanoner äro offensiva eller defensiva vapen.

Hoovers plan går ut på avskaffande av tanks, kemiskt krig och grova rörliga kanoner, samt reducering av alla arméers stridskrafter. Han kräver avskaffande av alla bombflygplan och dessutom absolut förbud mot luftbombardemang, minskning med en tredjedel av de större pansarfartygen och u-båtarnas fastställda antal och tonnage, samt minskning av en fjärdedel av hangarfartygs, kryssa-

132

res och jagares antal och tonnage. Inget land skall få äga en undervattensflotta på mer än 35 000 ton.

Det visade sig att Hoovers plan inte rönte odelat bifall bland Europas främsta militärmakter.

Och någon spår: Tiden verkar för Tysklands förmån. Det är säkerligen icke för djärvt att förutspå att det icke kommer att dröja alltför länge innan de politiska önskemål, som Tyskland nu tillfälligt avstått ifrån, som en mogen frukt faller i dess sköte.

Det kanske är dags att presentera den man som skall sätta sin prägel i form av en stövelklack på den europeiska rättsordningen de kommande fjorton åren.

Det är en lärd man som tagit fasta på Adolf Hitlers raslära och så smått börjat forska i dennnes rasteori och av artighetsskäl börjar han med Adolf själv.

Adolf är född i den lilla staden Braunau i Österrike, på gränsen till Bayern och i en genant närhet av Tjeckoslovakiet. Braunau ligger i en stråkväg på vilken raserna i mer än tusende år tumlat om. Kelterna har dragit här förbi, romarna kommo och grundade en koloni och denna i sin tur sopades bort av germanerna. Från Donaubäckenet trängde magyarerna fram för att avlösas av slavisk kolonialisering. Under turkkrigen och det 30-åriga kriget dansa härar från alla Europas länder en häxdans i dessa trakter. Två tredjedelar av den endast relativt germanska befolkningen utrotades, och den återstående tredjedelen uppblandas med annat blod. Reformationen och motreformationen sätter befolkningen i ny rörelse. Under österrikiska tronföljden draga fransmän och bayrare in i Braunau och under krigen i samband med franska revolutionen äro ryssar, tartarer och baskirer herrar på orten för att köras undan av Napoleons trupper. Författaren till tidskriftsartikeln drar inga konklusioner, men den som ligger närmast till hands är att det är en verklig prestation av Adolf och hans förfäder att ha kunnat bevara sin renhet i detta rassammelsurium.

Men detta hindrar inte att pastor Probst, utgivaren av det evangeliska veckobladet i Frankfurt am Main, "Sonntagsgruss", ställer Adolf "in Parallele zu Herrn Jesus Christ".

Detta gör naturligtvis att Hitler är självskriven gäst då prinsessan Sibylla gifter sig med prins Gustaf Adolf av Sverige i Koburg.

Så hade ni nazistprinsen Wilhelm av Preussen, som hela tiden — både som marskalk och nu på teatern — uppträdde i nazistuniform. För hans och Sibyllas skull hade också SA-männen marscherat med i bröllopståget efter Stahlhelmarna. Men man ser i Sibylla prototypen för en äkta germansk flicka — och då så ...

Men, och det bör kanske tilläggas, Stockholms stad vägrade flagga officiellt för prins Gustaf Adolf och hans Sibylla.

Mussoloni dundrar på: I dag kan jag med största samvetslugn säga Eder som samlats här i oerhörda massor, att det tjugonde seklet kommer att bli fascismens århundrade, den italienska maktens historia, det århundrade under vilket Italien för tredje gången kommer att bli den mänskliga civilisationens ledare, ty utan våra principer finns det icke soliditet vare sig för individerna eller för folken.

Men Adolf är inte lika säker. I december 1932 säger han, då Strasser lämnat honom, till Goebbels: Om partiet faller sönder, gör jag slut på mig med pistolen inom tre minuter.

Många av de närvarande fingo tårar i ögonen, när de såg sin förgråtne ledare.

Men bara nån månad in i 1933 är Hitler tysk rikskansler.

Det fanns således många goda skäl att krypa i säng och dra ner rullgardinen och i nervösa svettningsanfall försöka höra och se så lite som möjligt.

Möjligen är detta fegt.

Men undviker man de ämnen man är allergisk mot, man kan ha det rätt drägligt.

Ofta är detta omöjligt.

Ligg kvar J.F. Andersson.

Så stilla som möjligt.

Snart skall det tyska riksdagshuset brinna.

Kommunisterna kommer att anklagas, men Göring säger: Jag behöver ingen riksdagsbrand för att slå ned på kommunisterna och jag förråder ingen hemlighet när jag säger, att om det gått efter min och Hitlers vilja så hängde brandstiftarna redan nu i galgarna.

Men han säger också att i Tyskland finns det inte en enda människa som har fått öronen eller fingerspetsarna avskurna och på ingen ha ögonen stuckits ut.

Det är faktiskt inte underligt att barnen vaknar om nätterna och skriker av skräck för någonting de inte förstår. Inte heller är det så konstigt att de äldre också sover lite dåligt.

Streicher säger: Jag ämnar ej rygga tillbaka för att med våld förbjuda judarna att utöva gudstjänst och att genom beväpnade SA-män låta hindra dem från att beträda synagogorna.

Samtidigt uttalar sig rabbinen professor Weinberg i Judische Presse i Wien: Överhuvudtaget hyser man i judiska kretsar, långt mer sympati för Tysklands nationella resning, än denna rörelse vet om. De religiösa judarna vet, huru tacksamma de måste vara just emot Hitler för hans radikala kamp mot kommunismen.

Men innan synagogorna brinner brinner bokbålen i Berlin. Arnulf Øverland skriver: Den 10 maj brändes högtidligt 20 000 böcker på bål framför Operan i Berlin. Det var en kommitté av studenter som hade hämtat böckerna från offentliga och privata bibliotek och kört iväg med dem. Om det hade varit deras egna läroböcker de hade bränt så hade jag förstått dem. Men det var det icke. Det var böcker av "otysk ande". Det verkar som om anden överhuvud taget var otysk i dag.

Vid bålet talade propagandaminister Goebbels. Det var en folkfest. Det tyska folket, "diktarnas och tänkarnas folk", befriade sig från sina diktare och tänkare.

Det har bränts böcker förr. Det har också bränts människor. Naturligtvis i den bästa avsikt och i Guds namn.

Tyskarna förklarar det hela: Vi är inte och vi vill inte vara Goethes och Einsteins land, inte på några villkor.

Den 22 juni förbjuder Hitler det socialdemokratiska partiet i Tyskland.

Dr Goebbels: Jag sätter en allmänt prostituerad kvinna högre än en gift judinna, den första är då i vart fall en kristlig folkdemokrat. Men vad är en judinna?

Arbetaren skriver: Det är icke sant när Aftonbladet påstår att det råder fred. I Tyskland råder det krig.

När man kommit därhän, att man högst officiellt med järnris piskar människornas ansikten till blodiga köttkakor, när man kommit dithän att man piskar folk med spanskrör, omlindade med taggtråd, när man med tänger kniper köttstycken ur människornas kroppar, när man misshandlar folk till döds och återfinner deras lik efter några dagar i kanaler och floder, när man med stupstocken bestraffar människorna för att de ge uttryck för sina tankar, då kan man knappast komma längre i omänsklig bestialitet och då måste toleransen upphöra.

Ja det fanns all anledning att ligga instängd bakom neddragna rullgardiner också år 1933.

Men det började kanske bli farligt också, speciellt om man skyllde på obotlig astma.

Nej, det är nog bäst herr affärsman J.F. Andersson att säga att Kreugerkraschen är den verkliga orsaken till ett tillbakadragande för att samla sina tankar och en dag då en idé kläckts i huvudet uppstiga som frisk och öppna affär.

Inte astma, J.F. Andersson.

Berlin skriver: Hälsovårdsväsendet skall omorganiseras och obotligt sjuka människor skall visserligen vårdas på ett humant sätt, men deras lidanden skola icke onödigt förlängas genom de modernaste läkemetoder. Genom dessa och andra åtgärder hoppas man kunna inbespara ca 105 miljoner mark.

Köp hem en påse astmapulver J.F. Andersson. Dimman är svår och vintern med sina lågtryck ännu svårare, andas försiktigt. Sov som en björn över vintern. Jag väcker våren 1934.

Låt oss genast tala om att inbördeskriget rasat i Österrike och fascisterna slagit ned och redan avrättat de österrikiska socialdemokraternas ledare. Demokratins öde i Österrike är beseglat. Arbetarklassens heroiska kamp med vapen i hand för att värna den demokratiska ordningen i sitt land har slutat med nederlag.

Det blir kanske ingen vidare vår J.F. Andersson. Ligg still, avvakta och köp hem Hoffmans droppar, ren glycerin och en pava pepparmyntsolja.

Motboken lär du ändå inte få tillbaka i år.

Efter knappt ett år vid makten har nationalsocialismen fostrat en byråkrati som överträffar allt vad den vildaste fantasi kunnat föreställa sig i det avseendet. Det rör sig om de tongivande tjänstemännen inom nazistpartiet, vilka samlades på Hitlers särskilda befallning för att svära honom trohet.

Ledare för de politiska organisationerna	373 000
Ledare för de nazistiska driftsorganisationerna	120 000
Ledare för det nazistiska Hago	57 000
Ledare för det nazistiska ämbetsverket	34 000
Ledare för kvinnoorganisationerna	53 000
Ledare för den agrarpolitiska byrån	20 000
Ledare för det nazistiska lärarförbundet	12 700
Ledare för de nazistiska juristerna	1 600
Ledare för det nazistiska läkarförbundet	1 500

Ledare för det nazistiska
folkvälfärdsförbundet 68 000
Ledare för departementet för
kolonialpolitik 3 600
Ledare för departementet för partihistoria 2 500
Ledare för departementet för
propaganda 14 000
Ledare för pressdepartementet 7 400
Ledare för Hitlerungdomsförbundet 205 000
Underledare för den frivilliga
arbetstjänsten 18 000

Tillsammans 1 017 000 pampar inom diktaturpartiet vilka i en eller annan form försörjas på det tyska folkets bekostnad.

Medlemmarna i den nya gemenskapen skola avge en edlig försäkran att de äro fria från judiskt eller färgat blod, att de icke tillhör något hemligt förbund, ingen frimurarloge eller jesuitorden och att de icke tillhör någon annan trosgemenskap.

Arnulf Gverland: Om man tog en man och satte honom i fängelse, i ensam cell, och sörjde för, att han icke fick läsa något, aldrig fick brev eller tala med någon — men gav honom papper och penna och gav honom i uppdrag att skriva nyhetsstoffet till en tidning — då skulle det bli en tysk tidning.

Der Stürmer skriver: Vi skulle följa Amerikas exempel. I Hermando (Mississippi) har tre unga negrer blivit hängda emedan de begått övervåld mot vita kvinnor. Det är just rätta metoden för oss mot judar som förgått sig mot tyska flickor och kvinnor. I alla sådana fall böra judarna bli hängda och kvinnorna, om de hängivit sig frivilligt, intagna i koncentrationsläger. Varje söndag under två års tid, böra de under vissa timmar utställas fastkedjade vid en skampåle på torget i sin hemstad.

Och i Lettland, skriver D.N.. råder en diktatur av en art som snarast är att jämföra med den Dollfuss genomfört i Österrike. Den sittande regeringen, i huvudsak sammansatt av representanter för det tämligen långt högerställda bondepartiet under Ulmanis', har med en plötslig kupp satt sina främsta motståndare, socialdemokraterna, ur spelet. Alla socialdemokratiska ledare har häktats, dess tidningar ha indragits och dess institutioner satts under bevakning. Belägringstillstånd har införts, parlamentet har satts ur funktion "till dess författningsreformen genomförts" och de politiska partiernas verksamhet har förbjudits — med undantag får man förmoda — för regeringspartiets.

Förvisso andas Europa med en kräftsvulst i strupen.

Tyskland handlar som en mördare, vilken först tar livet av sina föräldrar och därefter ber om nåd som föräldralös.

Det är förvirringens stora tid. Trots allt är inga klara gränser dragna och Europa vet inte riktigt vart det skall leda. Utom att det kommer att leda åt helvete om ingenting händer som gör att läget klarnar.

Egendomliga saker händer i Tyskland.

Gregor Strasser avhämtas på middagen den 30 juni i sin våning av fyra tjänstemän i Görings hemliga statspolis. Han överlämnas till en SS-patrull som tar med honom i bil. Vad som sedan inträffar är inte klart — förrän nästa söndag. Då får fru Else Strasser en med aska fylld urna som har n:r

140

16 och bär följande inskrift: Gregor Strasser, f. 31/5 92 i Geisenfeld, d. 30/6 34. Hemliga statspolisen, Berlin.

Strasser har två söner och en i Berlin boende fransman, som är granne med familjen, frågar en dag vad sonen tycker om Hitler. Pojken snyftar, ser stelt framför sig och säger: Ändå är han vår Führer.

Den 30 juni flög Hitler i Goebbels sällskap till München där den bayerske inrikesministern Wagner sammankallat SA-ledarna för att högtidligt hälsa Hitler vid hans ankomst. Ledarna placerades var för sig mellan två bödlar. Med glad min skålade minister Wagner med sina gäster, en gemytlig, harmonisk skara som långt in på småtimmarna väntade på sin Führers ankomst. I det ögonblicket gav han det väntade tecknet, och de förskräckta SA-ledarna överfölls med gevärskolvar, ölsejdlar och knivar. När Hitler anlände fann han liken av 8 SA-ledare.

Och flera utrensningar följer.

England säger: Vad regeringens metoder och respekt för människoliv beträffar, har Tyskland upphört att vara ett modernt europeiskt land.

Europa undrar vad som egentligen skedde den 30 juni, men får knappt något svar som gör dem klokare.

Tyskland svarar:

När man i utlandet var så nyfiken beträffande händelserna den 30 juni så har Tyskland också några frågor att rikta till den övriga världen, som uppträder som civilisationens beskyddare. Varför nämner pressen i Frankrike icke namnen på alla

141

de män, som mottagit checker av svindlaren Stavisky? Varför har Ivar Kreugers dagböcker icke offentliggjorts? Svenska staten har föredragit att bränna dessa dagböcker, emedan de annars kunde leda till utrikespolitiska komplikationer.

Det vill på tyska säga: emedan det skulle bli bekant att ledande politiker i olika stater mutats av denne herre.

Dollfuss mördas och Hindenburg dör.

Och John Dillinger skjuts ner i Chicago.

Nu är detta år också så ledsamt att det är bäst att gömma sig själv bakom stängda dörrar.

Barbariet är ett faktum.

Under strejker i Spanien uppstår en blodig kamp mellan de strejkande och regeringstrupper.

A. Koestler: Den 14 oktober föll Oviedo, skakat av luftraider, sprängt i stycken av tungt artilleri. Den 19 oktober. marscherade överbefälhavaren in i hjärtat av Asturien. Kampen var slut. Blodbadet hade börjat. Det antog sådana fruktansvärda proportioner att hela Europa med fasa vände sig mot Asturien. Män, kvinnor, barn och åldringar slaktades utan åtskillnad, utan rättegång, utan någon hänsyn till om de deltagit i striderna eller inte. De sårade gjorde man slut på i sjukhusen med bajonetter och gevärskolvar. Antalet av dem som massakrerats i den vita terrorn i Asturien har aldrig fastställts. Men ögonvittnen berätta att fotografier och dokument finns i myckenhet.

När massakern pågått i tio dagar ansåg Gil Robles-Lerroux-regeringen att det var tid att bromsa in. De afrikanska trupperna drogs bort. Men domstolarna var fortfarande sysselsatta med att utfärda dödsdomar som på ett löpande band: i Madrid, Oviedo, Barcelona, Santander, Zamora, Leon och Gijon dömdes 40 000 fångar till straffarbete i sammanlagt 300 000 år.

Nu har vi återigen november och annalkande lågtryck. Försök sova J.F. Andersson. Vintern kommer att bli sjufalt värre än den senaste.

Sov.

Hoppa över mordet på sekreteraren i det ryska kommunistiska partiets centralkommitté, Kirov.

Lyssna heller inte på förberedelserna för en italiensk attack mot Abessinien. Det sägs att denna attack kommer att bli nödvändig då Europa behöver ett försvar mot Japan och att det är utmärkt att förlägga försvarsfronten i Abessinien.

Låt oss börja det något stillsammare året 1935 med några ord av Arnulf Øverland.

När Adolf Hitler för första gången uppträdde på arenan för omkring tio år sedan så väckte han allmänt skratt. Vi ler icke lika gott i dag.

I dag skrattar vi bara åt Quisling. Låt oss sluta upp med det. Låt oss begripa att fascismen inte är något att skratta åt. Den är farlig.

Här har vi ju Quisling. Är nu också han farlig?

Vi känner ju den mannen, som så när hade dött hjältedöden för oss på så sätt att några stygga kommunister kastade peppar på honom medan han satt i försvarsdepartementet och försvarade fosterlandet. Är han också farlig?

Det är icke så gott att veta. En sak är i vilket fall säker: något särskilt framstående förstånd behöver man inte ha för att erövra enväldsmakten i ett land. Hitler har bl.a. skrivit en bok genom vilken man kan se att han inte är någon särskilt intelligent man. Om Hitler faller, då är också Quisling färdig. Men så länge som Hitler sitter vid makten så länge är också vilken Quisling som helst en fara.

På vilket sätt skall vi behandla honom? Skall vi följa de tyska arbetarnas exempel?

Låt oss nu hoppa över folkomröstningen i Saar som slutar till Hitlers förmån och som bara kommer att skapa tusentals landsflyktiga som inte uthärdar Hitlerregimen och som kommer att ställa till trassel för Frankrike.

Låt oss i stället lyssna till Abessiniens Chargé d'affaires i Rom:

Vi vilja vara vänner med Italien. Men italienarna äro så underliga. Varför förstöra de jämt vår vänskap? Varför slå de på stort? Varför vilja de förödmjuka oss?

Det är det onda med oss att vi alltid ge efter. Därför har nu de här tre stormakterna satt sig fast utmed kusten. Varifrån de speja in till oss. Vi besegrade italienarna vid Adua. Vår härskare kunde efter sin stora seger ha jagat bort varenda italienare. Och det borde han ha gjort. Men vad gjorde han? Han tog emot trehundratusen lire, och så sa han: Italienarna kunna stanna här vid kusten. Vad skall vi ha sanden till? Vi ha inga båtar, vi få inga båtar.

Japan lägger sig i affären.

Vad har Japan med denna affär att göra?

Jo — den asiatiska stormakten utsträcker sina handelsförbindelser till hela Orienten. Det vill tillkämpa sig ledningen i Asien. Kan det stäcka Italiens försök att slå under sig nya områden i Afrika så stiger dess prestige oerhört i hela Asien och Afrika.

Ett Japan som motar tillbaka ryssarna i Sibirien, som visar sig jämbördigt till sjöss med Förenta staterna och Storbritannien, som träder i skranket för Abessinien, när dess område hotas av glupsk europeisk stormakt, det är de färgade folkens, det är Asiens och hela Österns förkämpe mot det i inbördes strider splittrade och förödda Europa.

I mars 1935 blir Hitler förkyld efter att ha tagit del av Englands vita bok som behandlade upprustningen i Tyskland.

Man har nu fått erfara arten av den förkylning som grep Hitler efter Englands vita bok. Denna förkylning blev så kraftig, att Hitler efter ett par veckor nyste upp en värnpliktslag.

Tyskland har återvunnit sin yttre frihet. En annan uppgift återstår ännu: det rätta återvinnandet av sinnelagets inre frihet. Ett dagens telegram berättar en motbjudande episod: då ordföranden för riksförbundet av judiska frontkämpar den 18 mars nedlade en krans på den okände soldatens grav i Berlin, så tillsades han att avlägsna kransen, vilket han värdigt vägrade.

Den 4 maj är man framme vid detta resultat:

En resa genom Europa påminner om ett besök i ett hem för sinnessjuka. Man offrar freden för förberedelserna till krig.

I dag samlas Englands, Frankrikes och Italiens statsmän i Stresa för att överlägga om den europeiska situationen. Det skulle vara intressant att veta om de engelska och franska representanterna ha samma känsla som Baldwin, när de bänka sig kring det gröna bordet tillsammans med Mussolini och hans män, nämligen att de hamnat i ett dårhus.

En bitter finsk röst:

Stresa är en ny etapp på vägen ingen-vet-vart. Tre stormakter ha i splendid isolering från yttervärlden dryftat sina gemensamma bekymmer i förhållande till en fjärde makt, som en gång störtades ned från stormaktsplanet, men nu är dåraktig nog att på nytt vilja komma upp sig.

Det är inget tvivel om att stormakterna älskar världsfreden. Deras rustningar visar klart, att de är fast beslutna att försvara den med händer och tänder.

För Frankrike, England och Italien finns det ett stort gemensamt intresse, det som kommer till synes i deklarationen, att de tre är fullkomligt eniga om att framdeles motsätta sig varje (!) enskilt åsidosättande av fördragen, varigenom Europas fred kan råka i fara. Adressen är tydlig med hänsyn till det tyska värnpliktsbeslutet av den 16 mars 1935.

Med tanke på Stresa har det emellertid sitt intresse att taga del av Mussolinis inställning till konferensproblemet före sammanträffandet med de engelska och franska statsmännen. I en intervju lät Mussolini förstå, att man i Italien, utan att på något sätt ha förlorat hoppet att kunna bevara freden, uppför sig som om kriget vore oundvikligt. Man arbetar på att komplettera alla förberedelser. Man måste ha klart för sig, förklarar Mussolini, att i våra dagar ett krig kommer att bryta löst i samma ögonblick som det förklaras. Det kan snarare bli fråga om timmar än om dagar, och därför bör man vara förberedd och färdig i samma ögonblick.

Det är med denna praktiska syn på saken, som den italienske diktatorn anlände till Stresa, och det är knappast troligt att de engelska och franska förhandlingsparterna hyste en avvikande uppfattning.

Tyskland behöver pengar och skaffar sig det också.

Nyligen ha ett stort antal ledande tyska företag lyckats upptaga stora krediter i London och andra utländska penningcentra. Ett av de förnämsta tyska krigsindustriföretagen, I.G. Farbenindustrie, upptog under 1934 lån på 2 miljoner pund i London. Som förmedlare av detta lån uppträdde en affärsbank och en del Citybanker. Bland dem som lånade nazistiska krigsföretag närmare 40 milj. kronor på ett bräde voro också de judiska intressena representerade. Förhållandet måste onekligen te sig ganska groteskt.

Det väcker i England stor förbittring att Bank of Englands chef uppenbarligen ånyo är i farten med att skaffa Nazityskland nya lån, för att finansiera de våldsamma rustningarna. Saken vore dock mindre märklig om det vore pengar att förtjäna, men nu struntar ju Tyskland blankt i att betala vare sig ränta eller kapitalamorteringar på sina utländska lån.

Mer om pengar:

Jag tycker emellertid synd om hans högvördighet biskopen av St. Andrews som har 2 100 aktier i Imperial Chemical Industries och inrikesministern Sir John Gilmour. Den senare har mycket stora intressen i rustningsfirman Vickers Armstrong, och hur det nu skall gå med finansminister Neville Chamberlains anseende på grund av hans 6 000 aktier i Imperial Chemical Industries törs jag inte tänka på. Skall han avgå liksom Sir John Simon eller avrättas offentligen? Prinsen av Connaught är också en misstänkt figur med 3 000 preferensaktier i Vickers Armstrong, och sammalunda är det med kommissionens egen ordförande. vilkens namn jag glömt.

De senare verkar vara män som är mästare i att förutspå och som svänger ihop ett affärsbrev i ett litet huj.

Det är män som inte behöver försäkra någon om en i allo honett behandling.

J.F. Andersson. Dit är ändå vägen lång.

Nåja, att det kommer att gå åt strumpor det börjar till och med jag fatta vid det här laget.

Mer tal om pengar:

Men är nu Abessinien en affär över huvud taget? Jag har hört att man inte precis drunknar i pengar åt det hållet?

Äsch, för kanoner och maskingevär finns det alltid pengar. Och förresten har Abessiniens bank bakom sig de japanska storbankerna, som på sin tid finansierade koncessionsavtalen. Köper Abessinien vapen, betalar Japan checkerna. Den enklaste naturligaste sak i världen.

Lönar det sig med de där affärerna?

Absolut. Den abessinska armén förfogar f.n. med reserver över ca 300 000 man. Ännu för tre år sedan hade denna armé bara gammalmodiga gevär, ett par maskingevär från Krupp, ett par Hotchkisskanoner och tio flygmaskiner, som dåvarande befälhavaren över Abessinien tog in från Amerika. Sedan dess har mycket förändrat sig. Och det betalas! Det vimlar i Addis Abeba av agenter från nästan alla

148

vapenfabriker. De japanska leveranserna är minimala. Då är det besvärligare med tyskarna. De två tyska agenterna offererar priser mot allt förnuft. Först hade de ordentlig framgång, ty kejsarens hovapotekare är tysk och han gjorde vad han kunde för att hjälpa fram dem. Men nu är han ur räkningen. Abessinierna äro inte dummare än att de kommo underfund med att de tyska agenterna prackade på dem uttjänta saker för pengar som de inte voro värda. Det här är Bethlehem-Steelfabrikat. En snabbskjutande kanon på vridbart montage, vridkillås med helautomatisk laddning, kaliber 565/35, 22 skott per minut, vattenkyld. Den idealiska kanonen för bergskrig! Och här är de nya gasbomberna från Pittsburg Federal. Abessinien väger upp guld för att få dem.

Men det är ju otroligt! Sådana framsteg i mörkaste Afrika ...

Det räcker inte med det! Man har mer än så. Man har tanks och flygmaskiner och bakterier. Och i många andra avseenden marscherar Abessinien med jättesteg rakt in i den europeiska civilisationen.

Tror ni det blir krig?

Nej. Abessinien har inte kommit så långt ännu och vill inte heller ha krig. Men det har i alla fall kommit så långt, att ett krig inte precis skulle bli någon trevlig promenad för Rom. För mitt vidkommande är det ena lika kärt som det andra. Mina affärer blir inte lidande i någotdera fallet.

Det hela rör sig om pengar, vilket skulle bevisas.

Det kan kanske tänkas att redan i mitten av 1935 misstanken om att det nu gällde att satsa på nånting som skulle gå åt runnit upp i J.F. Anderssons hjärna.

Men idén och hur den skall genomföras är ännu inte helt klar.

Export manager J.F. Andersson skulle kanske också bra gärna vilja säga om någon frågade honom om det skulle bli krig: För mitt vidkommande är det ena lika kärt som det andra. Mina affärer blir inte lidande i någotdera fallet.

Ännu är inte idén mogen.

Det blir att ligga i tre år till. Tänkande, planerande och hostande, lyssnande till det förbannade astmapulvrets sprakande.

Med tillförsikt seende tiden an medan man trampar ihjäl varandra i Abessinien, Spanien och Kina.

En ung engelsman och hans hustru begingo i lördags självmord på en landsväg utanför London. Makarna anträffades i bil. En gummislang hade förts in i bilen från utblåsningsröret och på baksätet fann man två brev.

Vi ha rest genom Europa, heter det i breven. Överallt äro förhållandena förtvivlade. Världen hotar med att begå självmord och vårt barn skall icke leva i en förryckt tid. Vi säga därför båda farväl till livet tillsammans med vårt lilla barn.

Försök att sova J.F. Andersson.

Försök.

Postludium

O Brody! Dina kvävda lidelsers mumier andas sitt oemotståndliga gift mot mig. Jag kände redan dödskylan i dina ögonhålor, fyllda med stelnade tårar. Och så — en skakig galopp för bort mig från de sönderslagna stenarna i dina synagogor.

Det är vår. Det är slutet av maj 1939 och fru Andersson plockar späda nässlor i en stor brun påse längs de soligaste hörnen av Enskede slakthusområde. Snön är borta och tussilagon blommar på den kulle där räven bor i områdets östra hörn.

Nässelsoppa det tycker Andersson om. Och nässelsoppa skall han också få äta så länge våren varar.

I skuggan är det ännu så länge kallt och fru Andersson plockar sina nässlor i solen, J.F. Andersson knallar runt med sin nattvaktsklocka bland de utspridda nycklarna.

I skärmmössa med nattvaktsmärke vandrar J.F. Andersson och upptäcker hur de impregnerade ledningsstolparna luktar av vår och av sol. Det är söndag och Andersson har långvakt, och så hade det blivit att när Andersson hade långvakt som till helger och söndagar så kommer fru Andersson och gör honom sällskap. Det är som hade de ett koloniområde att fara till.

På våren skulle fru Andersson plocka nässlor och

senare i höst nypon.

En kolonistuga eller ett litet lantställe, ett kyffe att koka kaffe i och en jättelik tomt att spatsera på. Och denna vår hade Andersson haft mycket liten känning av sin astma.

Det är vår och det skall bli sommar.

Men det skall också bli höst.

Andersson hade trott på sin vår 1938 och sommaren, hösten och till och med vintern hade infriat det löfte våren givit. I stillsam lycka hade han firat sin julafton.

Lutad mot en av Siemens stora kabelrullar vänder Andersson sitt ansikte mot solen och han tar av sin mössa. Himmelen är hög och det doftar av slakthus och tjära, av jord och spirande grönska och i sina lungor drar han ner solskenet.

Andersson trivdes som nattvakt, men han hade ändå trott att det var i centrum för affärslivet han hörde hemma. Det trodde han fortfarande.

Han trodde också på denna vår. Han intalade sig att han också skulle kunna tro på den kommande sommaren.

Men inte hösten.

På hösten var hans astma värst.

Men inte bara hans utan också det vansinniga Europas.

Andersson var övertygad om att bara mellaneuropa fått in sina spannmålsskördar skulle det vara dags sätta igång, och det som skulle sättas igång var ingenting mindre än ett storkrig.

Det skulle komma att gå åt strumpor men också människor. Barn. Europas män i nittonårsåldern skulle begravas i tusental, tiotusental, hundratusental och miljontal.

Nattvakten J.F. Andersson visste inte riktigt om affärsmannen J.F. Andersson längre hade lust att sälja alla dom strumpor som skulle gå åt.

Han kunde inte hindra kriget.

Han skulle heller inte kunna hindra att de präktiga grågröna yllestrumpor som tillverkades i Sjuhärads-bygdens varma bondkök skulle begravas på Europas slagfält, i massgravar, på krigskyrkogårdar eller tagas till vara och lagras i otaliga koncentrationslä-ger och krigsfångeläger.

Han skulle inte kunna hindra fabrikörerna att bli rika.

Om nu Sverige kom undan.

Men J.F. Andersson visste inte om han ville vara nån slags mellanhand. Om han ville ha något med av krigsprofiten.

Ville han egentligen om någon frågade honom om han trodde på ett krig svara: För mitt vidkommande är det ena lika kärt som det andra. Mina affärer blir inte lidande i någotdera fallet.

Han visste inte.

Våren hade inte varit särskilt finkänslig trots att solen sken.

Franco hade segrat i Spanien och Madrid kapitu-lerat den 28 mars.

Långfredagen den 7 april hade Mussolini bombar-derat Albanien och ockuperat landet redan på påskafton.

Och Hitler hade fyllt femtio år den 20 april.

Till Ledaren Adolf Hitler den 20 april 1939.

Svenska män och kvinnor, som i den tyske ledaren och folkkanslern Adolf Hitler, se Europas räddare, vilja ge uttryck åt sin djupt kända heders-bevisning och tacksamhet. Vi förbinda med denna hälsning en erinran om vår store konung Karl XII, som i sin hårda historiska kamp var besjälad av samma anda, vilken vi svenskar också förnimma i Eder världshistoriska insats för Stortysklands grundande och Europas vidmakthållande.

Samfundet Manhem:

Ernst B. Almquist. C.-E. Carlberg.

Svensk-Tyska föreningen:

Henri de Champs.

För enskilda svenska folkkamrater:

H. Möllman-Palmgren. O. Ziegler.

J. Åstrand.

Karl XII-statyetten var försedd med följande inskrift: Carolus XII Rex Sueciæ von dankbaren Schweden Adolf Hitler zu seinem fünfzigsten Geburtstag 20. April 1939 gewidmet.

Samtidigt säger Lloyd George: Jag hyser nu större förhoppningar om att ett krig skall kunna undvikas, sedan regeringen beslutat att söka få med Sovjet-ryssland i fredskretsen. Jag kan inte tänka mig att män av så stor klarsynthet som Hitler och Mussolini ge sig in i ett krig, i vilket deras chanser så uppenbart minskats genom att världens största militärmakt kommer med oss.

Det hoppet skulle släckas redan i slutet av augusti med tysk-ryska pakten.

J.F. Andersson hade sena nätter hört Hitler tala och även om han ingenting begrep så lät denna röst som skollärare Fogelqvist skulle ha låtit om han blivit biten av en galen hund.

Ich spreche von der Tschechoslowakei!

Allt tydligare avteckna sig de ödesdigra marsdagarna detta år, då de tyska arméerna utplånade den tjeckiska staten från Europas karta, som den verkliga vändpunkten i efterkrigstidens historia, även om det ännu är ovisst, om den nya vägen bär uppåt eller nedåt.

J.F. Andersson var affärsman, knalle och återförsäljare och med ett nedärvt affärsblod i sina ådror. Ändå tvekar han.

Han hade ju en son, J.F. Andersson.

Skulle nu hans son med präktiga hemspunna vantar och goda strumpor också en dag tvingas vila på okänd ort.

Ingen som trodde på krig trodde att kriget skulle bli långvarigt.

Och alla trodde på krig.

Men söner växer fort.

Hur länge skall borgerliga kretsar avfärda det tyska hotet med en axelryckning?

Skall Sverige deltaga?

Vårsolen kommer att skänka affärsmannen J.F. Anderssons bleka affärspanna färg.

Färg och kanske förtvivlan. Förtvivlan över det vankelmod eller det tvivel han drabbats av.

Låt oss säga att Andersson inte vill ha någon del av krigsprofiten.

Att han innerst inne då han öppnade Västgötalagret trodde på fred och arbete och att han trots sin idé och sin övertygelse om att i tider av terror det går åt en helvetes massa strumpor egentligen ville sälja billiga blåkläder till arbetarna på Söder.

Här på Söder behöva arbetarna billiga blåkläder.

Att han aldrig trott på ett nytt krig, då han upplevt det krig som sades skulle göra slut på alla krig.

Kanske sanningen ändå är en annan.

Att Andersson där han står seende sin Kristina på stela knän plocka de späda nässlorna redan nu har klart för sig att hans idé, hans skapelse och förra vårens, sommarens, höstens och till och med vinterns stora stolthet Arbetarboden Västgötalagret egentligen inte bar sig. Att om tiderna blev svårare och kriget verkligen bryter ut han inte kommer att klara denna sin affär.

Är han redan nu i maj medveten om detta?

Eller tror han fortfarande?

Bereder han sig på att ännu en gång skylta med sitt namn i Justitia?

Det värsta är att Andersson älskar sitt Västgötalager, sin affär, mer än kanske han själv anar. Sådan är han född; han är född att äga en affär.

Men utan kapital i en begynnande tid av total ofred, och vad med ofreden följer, brist, ransoneringar, inkallelser och evakueringar och allmänt helvete, kan inte ens ett affärssnille klara sig.

Kärleken till ett affärsliv skall inte kunna omsätta en enda växel.

Vilket till slut naturligtvis kommer att bli betydelselöst. Om kriget kommer.

Och hade, det visste Andersson, länge varit betydelselöst. Kriget skulle komma.

Andersson hade aldrig riktigt lyckats somna hösten 1935. Han halvslumrade men han sov inte. Och de nattliga promenaderna som vakt hade inte bara givit hans kinder färg och hans ögon en annan djupare blå ton. Hans hjärna arbetade annorlunda.

Instängd i det mörka sneda rummet hade han kanske alltför ofta tänkt på revansch. Att medelst en snabb affär för alltid rentvå sitt namn från den oerhörda skam det varit att ha blivit införd i Justitia.

Han hade hållit Europas dårskap ifrån sig i ett slags självförsvar. Vad angick honom Europa? Han hörde inte ens på vad nyheterna hade att säga, och de svartnande rubrikerna i tidningarna angick honom inte.

Han hade gett upp. Han hade slutat att andas.

Luften över Enskede hade fyllt hans hjärna och hjärta med nytt syre och han blev mer och mer medveten om att han inte sovit, kanske inte ens halvslumrat. Att han mycket väl vetat vad Europa talade om de sista åren han legat.

Demokratins öde avgöres i de spanska skyttegravarna, på de spanska barrikaderna. Spaniens fall betyder med all sannolikhet demokratins fall och fascismens europeiska seger. Det är därför fråga om liv eller död för demokratin — och för arbetarrörelsen.

Hermans son, som gått ut som frivillig, var rapporterad saknad och hade inte Herman suttit en hel dag hos J.F. Andersson.

Alltså hade Andersson haft besök. Någon hade frågat efter J.F. Andersson.

I det innersta sneda rummet hade Herman suttit. Plåtslagare Herman som fått sin äldste son rapporterad saknad.

Full hade Herman suttit vid J.F. Anderssons säng.

Full och bitter. Och han hade förklarat att saknad

fick hans son inte vara. Han skulle vara död i strid.

Saknad betydde fångenskap och fångenskap betydde tortyr.

Testikelpungen vrides sönder, könsorganen och andra partier av kroppen bränns, fingrar och tår klämmas i skruvstäd, tortyrstolar ha använts, händer och knän krossas med hammare, tandpetare klämmas in under naglarna. Fångarna skållas med kokhett vatten, man låtsas arkebusera dem och befaller dem att gräva sina egna gravar.

Herman hade hållit Andersson i handen.

Han hade inte gråtit. Han hade bara varit full.

Inte långt därefter hade Hermans son kommit tillrätta, och han kom också så småningom hem.

Återigen hade Herman tillbringat en dag i det sneda rummet och han hade suttit tätt vid Anderssons säng.

Denna gång hade han gråtit:

Han hade varit full men han hade också gråtit.

Några hundra konsthistoriker av skilda nationaliteter som nyligen hållit kongress i Schweiz ha riktat en enträgen vädjan till de stridande parterna i Spanien att i möjligaste mån skona — ja inte åldringar och sjuka och kvinnor och barn — utan konstskatterna. De sistnämnda ansågo de som "oersättliga värden", vilket de däremot inte tycks ha gjort med de förra. Visst får man väl anta att de anse det beklagansvärt även att åldringar och sjuka innebrännas och att kvinnor mördas och barn krossas under sammanstörtande hus — men bara konstskatterna kan räddas får man ta det hela med ro. Men all värdering är ju ytterst subjektiv, och man kan väl förmoda att även t.ex. en mor kan utgöra ett oersättligt värde för sina barn. Eller att ett barn likaledes kan vara ett sådant för sin far och sin mor — inte sant?

Medan jag sitter här och grubblar över den här vädjan ser jag en framtidsvision. Jag ser vår jord folktom; alla människor och även de högre stående djuren är utrotade medels det moderna krigets giftgaser och bakterier. Men konstmuseerna stå oskadade och likaså de statyer och skulpturer som befinner sig i det fria — tackochlov. Krigarna på ömse sidor ha dock visat tillbörlig respekt för de oersättliga kulturella värdena. En tröst i all bedrövelsen.

Men vem skall glädja sig åt dessa oersättliga konstskapelser då alla människor och t.o.m. de högre djuren är utrotade?

På den frågan kan jag tyvärr inte svara. Du får fråga konsthistorikerna. Kanske dessa kunna ge besked.

Kanske går ett litet moln förbi solen och J.F. Andersson sätter på sig sin nattvaktsmössa och beslutar sig för att koka kaffe och kanske tala med Kristina.

Kristina, vem skall glädja sig åt all denna strumpprofit då alla människor och t.o.m. de högre djuren äro utrotade?

Vem Kristina?

Inte ens strumpfabrikörerna komma att kunna ge besked.

Det var som om hela världen stod under befäl av högste chefen för Främlingslegionen:

Legionärer! I ären soldater för att dö och jag, jag skickar er dit där man dör.

Spanien:

Under vintermånaderna 1936—37 landsatte Italien 85—90 000 man infanteri i Spanien, medan Tyskland övertog olika slag av specialiserad teknisk verksamhet i rebellarmén: motortransporter, tanks och antitankskanoner, luftvärnskanoner, kustbatterier och tungt artilleri.

Den 8 februari 1937 intog italienarna Malaga.

Den 26 april förstörde tyskarna Guernica.

Den 31 maj bombarderades Almeria av tyska krigsfartyg.

Den 27 juni förklarade Hitler i ett offentligt tal i Würzburg att Tyskland önskade seger för Franco därför att det behövde spanskt stål för sin tunga industri.

Den 26 juni 1937 förklarade Mussolini genom sitt språkrör Il Popolo d'Italia att Italien aldrig varit neutralt i den spanska frågan, och att en seger för Franco betydde seger för Italien.

Året innan hade Mussolini gått härjande fram i Abessinien och Anderssons son hade kommit hem och berättat att man ställde ut spjut och pilbågar vid Slussen. Vapen som visade vad abessinierna egentligen försvarade sig med.

De giftiga gaser, vilka strömma ut från nedkastade bomber, sprida död och förödelse bland befolkningen. Buskvegetationen gör att senapsgasen kan bli liggande länge. Infödingar som passerar ådraga sig förfärliga sår. Deras lidande är ohyggliga. Europas överlägsenhet över de andra världsdelarna manifesterar sig alltså i all sin prakt. Dessa infödingar ha inga hjälpmedel att döda, som äro jämförliga med dem den europeiska tekniken åstadkommit. De äro hänvisade till att bruka eggvapen eller gammaldags eldvapen. Att kasta ned explosiva bomber och med giftgas fyllda behållare är en färdighet, som de efterblivna stackarna icke inhämtat. Det är denna efterblivenhet som stämplar dem som barbarer.

Det faller ingen in att kalla japaner barbarer. De ha nämligen tillägnat sig så mycket av västerlandets kultur, att de kunde tävla med vilken annan makt som helst i massmördandets konst. Barbari var det däremot när Frankrike införde färgade folk till Europa och lärde dem krigets hantverk. Det var nämligen de vitas privilegium att döda de svarta, icke tvärtom. De vita folken ha liksom ensamrätt på att slå ihjäl varandra. Det var utslag av illojal konkurrens, då fransmännen läto nordafrikanska negrer vara med och döda tyskar. Det var förräderi mot kulturen. Den kristna kulturens särmärke är nämligen privilegiet att slå ihjäl färgade folk ej mindre än att slakta vita fiender. Att lära upp de färgade folken till detta var helgerån. Man släppte in främlingar i kulturens allra heligaste.

Kejsaren av Abessinien har icke hunnit yttra mer än tre ord innan tumultet bryter löst på pressläktaren. Tio italienska journalister ha rest sig i bänkarna däruppe. De luta sig över den ensamme mannen därnere på podiet. De vråla:

Mördare! Mordbrännare! Tjuv! Negergubbe! Slavhandlare! Svin! Håll käften! Nog runnet ur niggertruten! Här talar Italien! Leve Mussolini! Svin! Mördare! Mordbrännare! Tjuv!

Väktare, vad lider dagen?

Solen värmer inte längre. Tanken på krigsprofiten får nattvakt Andersson att hosta. Kanhända är han allergisk mot det tunna damm de i Västgötalagret placerade strumporna avger.

Kanhända måste han på grund av sin astma slå igen butiken. På grund av allergi definitivt säga farväl till handel i bod.

Men majluften fyller Anderssons lungor och hans luftrör gör inget motstånd.

Han kan andas.

Men det är som såge han inte klart.

J.F. Andersson får ställa sig samma fråga som Neville Chamberlain: Är det slutet på ett gammalt äventyr eller början till ett nytt?

J.F. Andersson är nattvakt. Han är en arbetare och som sådan representant inte bara för Sverige utan också för Europas arbetare.

Som europeisk arbetare hundraprocentigt motståndare till fascism i alla former, till Hitler, Franco och Mussolini för att bara nämna de just nu tre främsta. Han är motståndare till all slags rasförföljelse. Men framför allt mot ett krig.

Men kriget är oundvikligt. Fascismen måste utrotas en gång för alla.

Detta vet J.F. Andersson utan att vara vad man kallar politiskt skolad eller ens till fullo politiskt medveten.

Och att ensam förstå sig på vad som händer i världen just nu bara genom att läsa tidningar är en omöjlighet.

Samtidigt är J.F. Andersson affärsman, visserligen i smått. Men affärsman.

Han vet att även detta nya krig skall skapa miljonärer och miljardärer.

Han vet att han själv, om han hade kapital, skulle

162

kunna öka sitt kapital.

Förutsatt att Sverige inte blir inblandat.

Och det sägs det att det inte skall bli.

Neutralitet.

Och ändå hade Hitler lovat att det inte skulle få finnas några småstater kvar i Europa.

Kanske skulle fru Andersson en dag tvingas lyssna till samma tal Tysklands kvinnor tvingas lyssna till och dessutom tvingas förstå och acceptera: Varje kvinna måste vara stolt över sina släktingar vid fronten. Hon måste tvinga sig till att bidra till sitt lands slutliga seger. Hon måste vara lycklig över det tillfälle hon har att offra sin käraste skatt, sin egen son, för sitt land. När denna sinnesstämning blir allmän bland de tyska kvinnorna, ska vi inte längre behöva se några exempel på att de skriver pacifistiska brev till sina släktingar i skyttegravarna — som de gjorde under det senaste kriget.

Skulle Andersson, son till en fri bonde och knalle, tvingas se på när herr Furugårds hakkorsbärande skolynglingar sparkade ut tänderna på lilla fru Krik.

Skulle han kanske tvingas se sin son kasta en brinnande fackla in i judekåkens församlingssal.

J.F. Andersson hade talat om strumpor.

Hitler skulle snart börja tala om strumpor.

Som ett exempel på hur grundligt tyskarna gå tillväga för att säkerställa befolkningens behov under kriget kan nämnas en av dagens förordningar som är riktad till fabrikanterna av damstrumpor. Enligt denna förordning förbjudes användandet av en del tunna och föga hållbara garnsorter vid tillverkning av damstrumpor och maskorna skola samtidigt knytas tätare och starkare enligt noga bestämda regler. Man söker därigenom uppnå, att damstrumporna skola bli mer hållbara än de f.n. äro, något som är nödvändigt, då damerna för framtiden måste nöja sig med fyra, högst sex par per år.

De nya likriktade strumporna komma i marknaden redan i början av januari. De skola tillverkas i sex olika färger.

Skulle affärsidkare J.F. Andersson börja sälja likriktade strumpor?

I sex olika färger.

Vad skulle de flitiga runda flickorna i Sjuhäradsbygdens bärdoftande bondkök säga?

Skulle de befatta sig med detta likriktade djävulska garn?

Kanske tänker inte J.F. Andersson på detta sätt. Kanske skall han försöka dra sig ur äventyret Västgötalagret med hedern i behåll. Skyllande på kriget och de dåliga tiderna. På allergi. På vad som helst.

Och dra sig ur affären innan han återigen hamnar i Justitia.

Betala sina skulder med nattvaktslönen.

Återigen tvingas äta Danvikens sagosoppa.

Och skriva ett brev till Borås.

...Men nu har det inträffat, käre Algot, vad jag länge fruktat skulle bli slutet på en av de största spekulationer folket här i stiftelsekåkarna på östra Söder känna. Följderna kunna väl ännu icke av någon, utom min fru, överskådas. Men nog har man rätt att redan nu tala om ett nytt exempel på, hur farligt det är med den privata företagsamhet och enskilda initiativ, som tillåtes härja på det ekonomiska området.

Återlämnar härmed lånfången summa, fan vet huru stor, samt återsänder lager av blåkläder, storvästar och krimmeltovor.

Ett enormt lager av kvalitetsstrumpor väl passande till marschkängor har jag, eftersom jag är både hemma i såväl mottagande, emballering som försändning, denna dag avsänt till närmaste kyrkogård för direktkremering.

Motseende svar härpå per omgående, tecknar.

För en intensivt industrialiserad nation är också råvaran ett allvarligt problem. T.o.m. med begagnande av det nyförvärvade Mansjuriet kan imperiet endast producera en tiondel av det järn, som dess industrier sluka, endast en obetydlighet av bomull, 8 proc. av olja, en minimal kvantitet av gummi, tenn, bly och ull. Storbritannien, U.S.A., Frankrike och Sovjet monopolisera icke blott 60 proc. av jordens yta, utan även 81 proc. av bomullsproduktionen, 70 proc. av järnet, 74 proc. av kolet, 7 proc. av petroleum, 66 proc. av bly, 60 proc. av tenn och zink, 2 proc. av mangan och 86 av guldet. Japan behöver kontinuerliga och oavbrutna leveranser av dessa råvaror för att kunna leva i både fred och krig.

För en intensivt nattvaktsarbetande man är också råvaran ett allvarligt problem.

Jag, J.F. Andersson, har följande råvaruproblem: en äldre dotter, en son, samt en yngre dotter.

Min fru är kry men har ont i sina leder.

En man i min ställning behöver kontinuerligt och oavbrutet arbete för att kunna föda dessa råvaror i fred.

Jag ämnar ej mer ligga fattigvården till last.

Mot herr Hitler talar hans sinnessjukdom, Göring och Goebbels måste sägas lida av arvspsykos. Himmler, slutligen, har blivit kallad Ghettons förtryckare.

Vi förkasta Ghettons förtryckare Himmler, sade herr J.F. Andersson.

Nattvakt Andersson ropar på sin fru: Kristina! Nu dricker vi kaffe.

Den gamla räven har sträckt ut sig i solskenet på sin kulle. Hon lyfter för ett ögonblick huvet och ser på Andersson.

Den gamla rävhonan ler och sträcker sig gäspande i solen och lägger sin näsa på några tussilago och några knoppande maskrosor. Doft av varm jord och en stilla doft av stelnat blod fyller hennes näsa. Flugorna har vaknat och råttorna börjat vandra allt längre och längre ifrån de skyddande hallarna.

Solskenet speglar sig i Slakthusets blanka tegelkatedraler och det är helgtyst och i rävhonans lya kurar tre hungriga små ungar.

Därför ler rävhonan.

Fru Andersson, som har solen i ryggen, känner också hon, då hon nyper av de späda nässelskotten, hur våren sakta stiger emot henne. Hur småkrypen har vaknat och att det inte kommer att dröja länge förrän högsommaren är här.

Men fru Andersson ler inte.

Tungt flyttar hon sin stora bruna påse, inte för att påsen är tung, utan därför att hon själv är tung.

Hon är orolig för fru Krik.

Fru Krik hade den senaste tiden, kanske allt sedan nyår, förändrats. Hon hade blivit tröttare.

Hon hade om möjligt blivit mindre.

Någonting hände i hennes kropp som hon inte kunde ta, hon var dödstrött och hon låg ofta. Hennes ögons glans slocknade då och då och fru Andersson visste inte om fru Krik vände sina ögon mot minnen eller om hon plågades svårt.

Fru Krik hade på sista tiden talat mer än hon brukat. Hon hade berättat om sin barndom och om stora städer. Men berättelserna var mer till för fru Krik än för fru Andersson, det var som om hon försökte övertyga sig själv om att hon levat.

Det var en följd, trodde fru Andersson, av det som hände i hennes kropp.

Hon var inte vårtrött och heller inte livstrött. Det var bara trötthet och fru Andersson var övertygad om att fru Krik var sjuk.

En hel dag i februari hade hon också suttit med fru Krik på en allmän mottagning på Serafimern och en doktor hade undersökt den lilla judinnan. Något större fel hade han sagt sig inte märka. Fru Krik hade fått recept på nån järnmedicin och också en sorts små vita piller.

Piller som gjorde henne ännu tröttare.

Fru Andersson lyssnade till fru Krik. Det fanns en egendomlig mystik i hennes berättelser. Samtidigt som minnena av de stora städerna var fullt tydliga och innehöll namn på personer så var det ändå en overklighet i dom. Inte för att händelserna utspelades i främmande land och långt borta utan snarare för att det fanns en sanning i berättelserna som fru Krik antingen inte kom ihåg eller som hon avsiktligt undvek eller oavsiktligt helt enkelt glömt.

Fru Anderssons far hade varit på samma sätt.

Fru Anderssons fars berättelse om det grymma och om det syndiga Sodom liknande Mosis backe och vad där egentligen tilldragit sig hade också en skenbar sanning och antingen hade hennes far glömt en viktig detalj som skulle ge berättelsen mening eller också begrov han sanningen med sig själv.

Ibland berättade fru Krik ivrigt på en blandning av både ryska, jiddish och svenska någonting som verkade viktigt och hon kunde avsluta berättelsen på en blandning av franska och tyska och svenska vilket gav det mörka rummet en egendomlig stämning och till fru Kriks glädje såg hon i fru Anderssons ögon att fru Andersson njöt. Att fru Andersson visserligen inte förstod de ord fru Krik använde men ändå gladde sig och liksom följde med.

Och fru Andersson följde med i dessa obegripliga berättelser och hon kunde till och med gå hem till sina barn och säga till dem, att gamla fru Krik hon hade varit med. Och hon hade inte bara varit med, utan hon kunde även berätta vad hon varit med om.

Långt var det i fru Anderssons ögon till Odessa och var denna stad egentligen låg det tog hon aldrig reda på.

Men fru Krik mattades alltmer.

Hon hade nu på sista tiden fått värk i käken och, enligt fru Andersson, hade hennes ena framtand börjat växa. Den blev lång och den blev infekterad.

Fru Andersson som inte ville att fru Krik skulle gå ut mer hade försökt med portvaktens hjälp att få tag i en tandläkare som kunde komma hem och se över fru Kriks käke.

Men det fanns ingen som åtog sig det.

Till slut hade de båda damerna fått tid hos en tandläkare på Folkungagatan men han hade ingenting kunnat göra.

Det var, hade han sagt, ingenting en tandläkare kunde göra något åt. Han hade rekommenderat fru Andersson att så fort som möjligt uppsöka en läkare, en specialist.

Han hade också i förtroende sagt att det var farligt och troligen obotligt. Att han inte ens trodde på operation.

Fru Andersson hade gissat på nån slags kräfta.

Ännu hade fru Andersson inte lyckats hitta någon specialist och fru Kriks tand bara växte. Och den luktade illa. Som kallbrand.

Om dessa fru Anderssons bekymmer visste herr Andersson ingenting. Och de stunder fru Andersson ägnade åt fru Krik stod en annan av barnrikehusets fruar i Västgötalagret. Fru Anderssons väninna i huset. De hade tvätten tillsammans och hade på så sätt kunnat jämföra sina erfarenheter och denna fru Nord, som hon hette, och fru Andersson hade vandrat ungefär samma väg och ifrån samma skogar till denna stad. De hade dessutom, visade det sig, legat på samma sjukhus. Båda för struma, och båda hade blivit opererade av samme läkare. Samme professor, som dom sa. Visserligen med några års mellanrum, men ändå.

Fru Nord hade sju barn varav tre arbetade och fyra gick i skolan. Hon hade tid att vakta affären. Hennes man arbetade på Barnängens spinnerifabrik och fru Nord var på det stora hela taget nöjd.

Lönen för de timmar hon passade Västgötalagret tog hon ut i skjortor eller nåt annat behövligt.

Herr Andersson visste inte om detta.

Ingen hade kommit på att tala om det. Det hade inte spelat Andersson nån roll om han vetat det.

Mycket sålde inte fru Nord, men det gjorde inte fru Andersson heller. Och dessvärre inte heller herr Andersson.

Ännu så länge fanns det för lite pengar.

Det skulle dröja in på fyrtiotalet innan pengarna kom.

Ännu var det ovanligt att skolbarn bar pengar i fickorna men bara tre år senare hade alla, som hade ett mirakel inträffat, pengar.

Byggarbetena kom igång.

Kriget höll på som bäst.

De flesta fäder låg inkallade.

Det mesta var ransonerat.

Men det började finnas pengar.

Detta låter kanske underligt, men det är faktiskt sant.

I och med att pengar fanns förändrades barnrikehusets ungdom. Kriminalitet blev allt vanligare. Man tog inte vilka jobb som helst.

Eller också struntade man i att jobba.

Herr och fru Andersson dricker kaffe och Andersson säger att det nu inte skall dröja länge innan de kan sitta ute i solskenet och dricka kaffe. Kanske redan nästa långvak.

De talar, på grund av den mängd små nässlor fru Andersson plockat, om det kommande kriget. De talar om att det kommande kriget inte kan bli som det förra. Att inte ens ransoneringar kommer att införas.

Om nu Sverige förblir neutralt.

I vilket fall inga ransoneringar liknande det förra storkrigets. Kaffet förstås, det skulle bli ransonerat.

Fru Andersson hade redan hört att många människor hamstrade. Eller hon hade läst att här och var förekom det liksom hamstringsryck.

Hon trodde inte på hamstring. Hon trodde tvärtom att det var att utmana ödet. Hamstrade man för att man trodde det skulle bli krig och ransoneringar, så blev det också krig och ransoneringar.

Fru Andersson trodde inte på krig. Det som hände hände alltför långt borta. Alla länder som inte var Sverige låg lika långt borta.

Hon visste om Europas grymhet men hon erkände den innerst inne inte. Francos grymhet i Spanien, Mussolinis grymhet i Abessinien och Albanien, och Hitlers judepogromer i Tyskland var någonting som hon kände till men ändå inte erkände.

Sjukdom, fattigdom, arbetslöshet och nöd erkände hon, men inte grymhet.

Samtidigt hade hon tidigt lärt att i krig och krigshot skola dina barn växa upp.

För morgondagen oroade sig inte fru Andersson.

Herr Andersson hade talat en smula om Västgötalagret. Han hade talat om affärer och att det nog skulle bli bra eftersom det verkade som om Sverige återigen gick emot allt mindre och mindre arbetslöshet. Att socialdemokraterna nog skulle se till att det blev tillfälle till arbete för alla och envar som ville och kunde arbeta. Och att han själv, fast han räknades som gammal, nog skulle få behålla sin nattvaktssyssla till dess hans affärer kunde uppta hela hans tid. Blev det värre i världen skulle många kallas till beväringstjänst och på så sätt skulle det bli mer arbete för äldre.

Dessutom kände han sig inte gammal. Och det var ju huvudsaken.

Västgötalagret var en lysande affär. Kanske inte just nu, men skulle bli det. Det fanns ingen tvekan om den saken. Allt pekade på en stigande högkonjunktur.

Han hade beställt, berättade han denna dag, tusen stycken reklamlappar som han räknade med att sonen och några av hans kamrater skulle kunna dela ut i östra Söders brevlådor.

Det gällde att få Västgötalagret känt. Det gällde också att i möjligaste mån få Västgötalagret känt såsom hållande lägre priser än de större affärerna. det skulle liksom i längden löna sig.

Det skulle finnas prutmån.

Västgötalagret behövde bara en sak och det var, enligt herr Anderssons fullt uppriktiga åsikt, kunder.

Det fattade till och med fru Andersson.

Får vi bara kunderna, Kristina, så får vi också pengar.

Och får vi pengar, Kristina, så skall vi utöka.

Aldrig stagnera i affärer, aldrig vara helt nöjd. Modernisera och utöka. Både affären och kundkretsen.

Sonen skulle få lära sig affärslivet från grunden. Han kanske en gång skulle ta vid.

J.F. Andersson & Son.

Men sonen, det visste fru Andersson, skulle aldrig bli affärsman lika litet som han skulle förmås smaka en enda sked av den soppa hon skulle koka på sina nyplockade nässlor.

Vad han skulle bli visste hon inte.

I varje fall aldrig affärsman.

Detta sa hon inte till herr Andersson. Så länge Andersson var glad i sina drömmar fick han gärna drömma.

Om fru Kriks sjukdom, eller dystra tillstånd, talade däremot fru Andersson. Och hon hade denna dag sagt till J.F. Andersson, att som hon fattade saken skulle inte fru Krik leva ens över sommaren.

Hon sa att hon skulle försöka få dit någon av församlingssystrarna som var sjukvårdsutbildade och som åtminstone kunde göra fru Kriks överkäke ren varje dag. Och kanske övertyga systern om att fru Krik måste till sjukhus.

Fru Andersson var övertygad om att fru Krik måste till sjukhus.

Kanske skulle hon med portvaktens hjälp försöka ringa Ersta sjukhus.

Eller Åse sjukhus.

I detta fall kunde Andersson inte ge något råd.

Han föreslog inte ens uppkok på enrötter eller Hoffmans droppar.

Han hade under fru Anderssons berättelse om den växande tanden börjat tänka på sina egna tänder. Till natten skulle han kanske fila dem.

Utom hörhåll för sin son.

Den gamla rävhonan skulle denna natt stanna utanför Anderssons nattvaktskur och det ljud som hon skulle höra därinifrån skulle få henne att frysa längs ryggraden. Hon skulle skynda till sina ungar.

Andersson filade sina oxeltänder.

Veckans tipsrad hade slagit fel som den så många

gånger hade gjort och innan fru Andersson går denna majsöndag så ber Andersson henne att fylla i nästa veckas tipskupong. Han hade sagt att hon kanske hade bättre tur. Han hade tydligen ingen tur i spel.

Nej, han låg mer åt affärerna. Han var bäst på att kalkylera och förutse.

Att tippa sig till pengar det gick nog inte.

Kanske ändå. Med lite tur.

Kristina, fyll nu i här två rader.

Och Kristina fyllde i två rader.

Nattvakt Andersson följer sin fru till Slakthusets grindar. Andersson har frågat efter sina barn och fru Andersson säger att flickorna nog är hemma men att sonen är på Gärdet och ser på nån flyguppvisning.

Han hade gått med dom stora grabbarna dit, sa hon.

Detta trodde inte fru Andersson själv på. Hon trodde nog att sonen varit på nån matinéföreställning och sett film, kanske två matinéföreställningar.

Hon hade sett honom ta en krona ur Västgötalagrets kassaapparat.

Hon hade inte sagt någonting till sonen.

Heller inte till Andersson.

Men redan i kväll skulle hon säga någonting till sonen och som sonen kanske skulle ha mer nytta av här i livet än en stulen krona.

Hur hon skulle säga det visste hon inte.

Det var därför hon ännu ingenting sagt.

Sonen skulle bli påmind om en morfar med ett stort blått födelsemärke och kanske också bli påmind om att han bodde i närheten av Mosis backe.

Ett torg i vars rännstenar man skulle kunna förblöda utan att någon tog någon som helst hänsyn till en.

Andersson skulle aldrig få reda på denna sin sons stöld. Och sonen skulle utan att blinka ljuga ihop några svar om herr Andersson eventuellt skulle fråga om den flyguppvisning sonen sett på Gärdet hade varit intressant.

När fru Andersson anländer hem är ingen hemma och hon går rätt över gatan till fru Krik.

Fru Kriks tillstånd är sådant att fru Andersson förmår portvakten att ringa efter en ambulans.

Fru Krik är mycket sjuk och hon är rädd. När fru Andersson talar om för henne att hon måste till sjukhus, att en ambulans hämtar henne så vet fru Andersson inte om fru Krik förstår.

Det enda hon ser är en djup skräck i fru Kriks ögon.

Fru Krik kämpar inte emot. Hon säger inte att hon inte vill till sjukhus. Hon finner sig i sitt öde förlamad av en nedärvd skräck.

Fru Krik förs till Sabbatsbergs sjukhus.

Hon kommer inte att säga många ord de månader hon där blir liggande. Hon kommer bara att krympa och så småningom försvinna.

I sin gröna soffa i sin instängda lägenhet, skyddad och trygg, fick hon alltså inte dö.

Trots den oerhörda skillnaden fick hon dö som nästan hela hennes folk ute i Europa tvingades att dö.

Det hade knackat på hennes dörr. Man hade sagt att snart kommer en bil och hämtar er. Sen hade hon lagts i en säng för att dö.

Det låter som om fru Krik hade dött otacksam.

Så var inte fallet.

Men fru Krik var representant för ett folk som brutalt och hänsynslöst och utan närmare förklaringar på ett eller annat sätt skulle utplånas.

Som svensk medborgare dog hon av kräfta väl omskött och mellan vita lakan i ett rent sjukhus, men som judinna dog hon som flykting, jagad, skändad och skräckslagen.

Hon litade inte på någon.

Det skall man heller inte begära.

Fru Andersson besökte henne ofta men det var för fru Andersson mycket svårt att se den lilla fru Krik bli ännu mindre. Att se henne lida. Att se hennes skräck.

Fru Andersson sa aldrig till fru Krik att hon trodde att fru Krik skulle bli frisk och återigen tillbringa sina dagar med att se hur barnrikehusets barn växte.

Fru Krik skulle i alla fall inte tro att hon någonsin skulle komma hem.

Ingen annan jude i Europa trodde det heller.

Det fanns ingen anledning till det.

Ingen som helst anledning.

Parollen "att hjälpa judarna i deras nöd" tycktes så gott som i vartenda fall innebära ett gynnande av den judiska invandringen till Sverige, där dessa immigranter skola ha både medborgarskap och förmånliga och viktiga poster, väl ofta på bekostnad av svenskarna själva. Jag vill uttala en bestämd gensaga mot denna förvända tolkning av det kristna kärleksbudet.

En framstående representant för den svenska kyrkan har talat.

Varför tiga vi? Vi bruka annars inte sticka vårt ljus under skäppan. I struntsaker gasta vi gällt och självmedvetet. Men när det gäller våra barn och hem, hela vår kultur och allt som gör det meningsfullt att leva och skriva tiga vi som möss. Varför, varför? Tig inte längre kamrat! För egen skull, tala! För allas vår skull sjung ut det enda viktiga ordet just i denna stund: FRED! Ty tiga vi nu dra vi över oss framtidens dom och det fruktansvärdaste av alla ord kommer att häfta vid vårt minne — ordet feghet.

En representant för folket har vädjat.

Kung Leopold av Belgien vädjar:

Misstro och misstankar är överallt förhärskande. Inför våra ögon bildas fientliga läger, grupperas arméer, en ohygglig kamp förberedes i Europa. Kommer vår världsdel att begå självmord i ett fruktansvärt krig, i vilket inte kommer att finnas vare sig segrare eller besegrade, men i vilket de andliga och materiella värden som skapats genom seklers civilisation kommer att förstöras? Krigspsykosen har bemäktigat sig sinnena och allmänna opinionen, ehuru medveten om den oerhörda katastrof som en väpnad konflikt skulle utgöra för hela mänskligheten, hänger sig mer åt tanken att vi oundvikligen drivs därhän. Det finns icke ett folk — vi fastslår detta med kraft — som önskar sända sina barn i döden i syfte att beröva andra nationer den rätt att leva, som det kräver för sig självt.

Medan fru Andersson vandrar till spårvagnen blir J.F. Andersson stående vid Slakthusets grindar samtalande med Slakthusets portvakt.

Och denna portvakt kommer att berätta för Andersson hur han i sin ungdom var med och brände brännvin uppe i hälsingeskogarna utanför Färila och sådana här vackra majdagar grävde ner mäsken i myrstackar, och dessutom kommer han att berätta en skämthistoria som till och med Anderssons son i sinom tid kommer att skratta åt.

Ett gammalt par sitter i ett ensamt kök i nån skog och ingen av dem säger särskilt mycket. Käringen, som vill dra igång ett samtal, säger då det plötsligt börjar regna eller hagla alldeles förfärligt:

Har du sett vilket herrans oväder vi har fått?

Det skall du vara glad för, säger gubben, för det vet du väl att en vacker dag så går det åt helvete.

Och snart skall Hitler anförtro den engelske ambassadören: Jag vill hellre ha ett krig nu då jag är femtio, än senare då jag är femtiofem eller sextio.

Über Gräber — vorwärts!

Mein Bruder war ein Flieger
Eines Tags bekam er eine Kart
Er hat seine Kiste eingepackt
Und südwärts ging die Fahrt

Mein Bruder ist ein Eroberer
Unserem Volke fehlt's an Raum
Und Grund und Boden zu kriegen, ist
Bei uns ein alter Traum

178

Den Raum, den mein Bruder eroberte,
Liegt im Quadaramamassiv,
Er ist lang einen Meter achtzig
Und einen Meter fünfzig tief.

Jag skall segra eller dö, säger Hitler.
Särskilt optimistisk verkar han inte. Underrubriken lyder:
Göring och Hess utsedda till efterträdare.
Men ännu är kriget inte ett faktum.
Det kommer att bli högsommar.
Nässlorna växer fort och de duger inte längre att plockas för soppkok. Nyponrosorna kring rävkullen blommar och i värmen känns lukten från slakthushallarna nästan tryckande.
Nätterna är ljumma.
Familjen Anderssons tre barn är på koloni och fru Andersson sitter lugnt och stilla sina förmiddagar i Västgötalagret. Då och då kanske avbruten av fru Nord som vaktar då fru Andersson besöker fru Krik.
Sjukbesök som sliter på fru Anderssons nerver, och det kan ibland hända att hon någon kväll åker med Andersson till Slakthuset och stannar några timmar.
Fru Andersson hade gärna velat att Västgötalagret för några korta veckor skulle stängas och kanske herr och fru Andersson skulle resa bort. Eller hem. Hon ville gärna att de skulle åka till Västergötland och hälsa på.
Men Andersson tyckte inte tiden var mogen.
Inte än, hade han sagt, men snart.
Fru Andersson ville gärna resa. De äldsta av

hennes syskon, hade det framgått av brev, var inte längre så raska som förut.

Den äldsta av Anderssons bröder var död och systern på ålderdomshem. Hans barndomshem skulle snart knuffas omkull och broderns trädgård bara överges. Skogen skulle spatsera in i den, visserligen försiktigt som om de främmande växterna skrämde våra vanliga granar. Men den skulle tränga sig in och de ovanliga växterna kvävas.

Den knäckta ladugården var sen många år borta.

Det är klart att han skulle kunna åka och hälsa på, men först som aningen mer etablerad. Han skulle då hälsa på de fabrikanter han anlitade.

De talade ofta, herr och fru Andersson, om att en dag helt och hållet återvända. Kanske inte återvända till skogen. Så mycket stadsmänniskor trodde de sig ha blivit. Men återvända till landskapet. Kanske bosätta sig i en liten stad eller ett större samhälle i närheten av sina barndoms mossar och insjöar.

De talade ofta om detta sommaren 1939.

De talade om sina barn. Sina stadsbarn och att de kanske skulle protestera.

Åtminstone sonen.

Å andra sidan så låg naturligtvis ungdomens framtid just i Stockholm.

I ett läroverk ville Andersson se sin son.

I en skolmössa.

I den vita mössan. Och detta var hos Andersson en mycket allvarlig tanke. Sonen skulle studera.

Sonen skulle när den dagen kom att läroverk blev aktuellt säga ett definitivt nej.

Den tystnad som redan rådde mellan far och son

skulle bli ännu djupare.

Sonen skulle vägra studera inte på trots mot fadern eller på grund av bristande begåvning.

Barnrikehuset skulle inte tillåta det. Det gäng sonen tillhörde skulle inte acceptera det.

Sin faders tystnad kunde sonen bära men inte gängets.

Förryckt skulle Andersson anse sonen vara, förryckt skulle han anse ungdomen vara. Förryckt men avancerad.

Hans ensamhet skulle bli mycket stor och han kunde, så långt skulle det gå, när han såg en fader på söndagspromenad med en son med läroverksmössa, gripas av stort vemod. En uppriktig sorg.

Fru Andersson kunde bara betrakta denna sorg, hon kunde ingenting göra.

Men än så länge kunde paret Andersson glädja sig åt de ljusa kvällarna och åt de vackra nyponrosorna.

Denna sommar fortsatte fru Andersson att märka sina barns alla kläder. I händelse av en evakuering hade hennes barndomshem lovat att ta emot dem. Och om det blev aktuellt med evakuering så kanske det skulle ändra allt. Gatan skulle inte längre kunna fungera som samlingspunkt för ett gäng, ett gäng som fru Andersson inte visste och heller aldrig fick veta vad det egentligen höll på med. Hon visste bara att sonen var med i detta gäng och att gänget inte släppte honom.

Mot slutet av sommaren strax innan det barnen kom ifrån Barnens ö skulle det inträffa någonting som förändrade Andersson, och som ett tag såg ut att bli Anderssons död.

Västgötalagret bar sig inte och hade på länge inte burit sig och Andersson skulle minnas nånting som han en gång läst.

— ty Borås är inte alls hvad jag förestält mig, och inte hvad ni förestält er heller, om ni inte sjelf varit der.

Borås hade givit kredit.

Men Borås gav ingen pardon.

Affärsmannen Andersson skulle tvingas sälja ut sitt lager så gott han kunde, han skulle tvingas stänga sin älskade affär. Han skulle tvingas i konkurs.

Hans namn skulle än en gång ställas i Justitias skamvrå.

Under en tid av fjorton dagar skulle Andersson kalla sig en slagen man. Han skulle återigen gå till sängs och i svår astma, så svår att en läkare tittade in var tredje dag, lutad mot sina kuddar med grå tårar anse sig som en nu definitivt slagen man.

En mästare på strut vars händer förlamats.

Han skulle inte skylla på någon annan än sig själv.

Nyqvist, Anderssons före detta granne och vän, skulle gå nattvaktsronderna åt honom. Nyqvist hade gjort sig av med sin lastbil, sitt åkeri som han kallade det, och hade ingenting emot att gå nattvakt. Han skulle också senare få fast anställning som nattvakt.

I fjorton svåra dagar utkämpade affärsmannen J.F. Andersson en svår kamp med arbetaren inom honom.

Och affärsmannen hade inget val.

Tiderna skulle bli bättre. Eller bli mycket sämre.

Andersson hade ett arbete. Han var nattvakt.

Han hade ett arbete och det var ju det han förut inte hade haft.

Han skulle inte ännu en gång återvända till Danvikens mat.

Han hade försökt öppna en affär. Han hade misslyckats.

Han hade räknat fel.

Han tillhörde inte det moderna affärslivet.

Senare kunde det kanske hända att han skulle säga: Jag har haft två affärer, jag är utbildad i upprättandet av affärsbrev och jag hade idéer, men storkrig har båda gångerna drivit dessa affärer i konkurs.

Det hade alltid varit på fel tid.

Det hade inte varit sådana tider.

Tiderna skulle aldrig mer bli sådana.

J.F. Andersson skulle återvända till Enskede slakthusområde, elverkets förråd och den räv han lärt sig älska.

Han skulle återvända som nattvakt.

Fru Andersson hade under Anderssons svåra dagar varit nära att även hon ge upp. Hon slutade nästan helt att sova. Hennes mellangärde värkte liksom hennes leder. Fru Kriks och Västgötalagrets död hade inträffat ungefär samtidigt.

Fru Krik hade dött utan att yttra någonting begripligt. Nånting på ryska hade hon sagt. Men ingen hade begripit.

Andersson hade sagt och detta hade varit mycket svårt för fru Andersson att höra: Nu drar vi aldrig mer upp den svarta klockan. Det kommer inte mer att behövas.

Det var som om Andersson på så sätt försökte tala om att han tagit slut.

Han drog aldrig mer själv upp den svarta klockan. Han mätte inte längre sina krafter. Han hade inga krafter att mäta med.

Han hade någonstans läst att den verklige affärsmannen förhåller sig till affärer som konstnären förhåller sig till sitt skapande.

Andersson hade inte längre krafter att skapa.

J.F. Andersson var ingen affärsman.

Han hade förlorat sin förmåga att förutse, han hade inte längre sitt medfödda affärsblod till trots sinne att på avstånd upptäcka en kommande hög- eller lågkonjunktur.

Det är inte samma J.F. Andersson som återvänder till sitt nattvaktsarbete. Kanske går han inte lika rak i ryggen och han skall aldrig mer berätta om hur det går till att göra en strut.

Nätterna skall han tillbringa grubblande på lag som Tottenham, Aston Villa och Wolverhampton.

Kanske hans händer skulle darra då han fyllde i sin stryktipskupong. Men tipset var vad han hade kvar.

Han hade inte bara förlorat en affär. Med Västgötalagret hade han förlorat hela Västergötland. Han hade förlorat sitt landskap, sitt hopp om att en gång kunna komma tillbaka stolt.

Att J.F. Anderssons namn två gånger stått i Justitia det skulle hans barndoms skogar aldrig förlåta.

Hade västgötabönderna inte läst Justitia tidigare så nog gjorde dom det nu. Så många fabriker som

184

det där växte upp, och med fabrikerna fabrikörer och disponenter.

Men sängliggande blev inte Andersson. Han hade hustru och tre barn. Han hade ett arbete.

Han tordes inte en gång till ligga fattigvården till last.

Det hade han ju också lovat.

Föräldrar äro pliktiga att utan fattigvårdssamhällets betungande försörja sina minderåriga barn. Enahanda försörjningsplikt åligger man gentemot hustru.

I övrigt åligger det föräldrar och barn att i mån av behov, å ena, samt förmåga, å andra sidan, försörja varandra, så att de ej falla fattigvården till last.

Den förmåga Andersson inte hade blev han tvungen att skaffa sig. Han återvände till sitt arbete.

Men långsammare och gråare vandrade han sin nattliga promenad och räven blev bara en räv. Hon tillhörde inte längre hans barndoms rävar. Han talade om räven, om han talade om henne, som Slakthusets räv.

Då och då ensamma nätter kunde han med stor saknad minnas drömmen om krigsprofiten. Det kunde då hända att han skämdes. Det kunde då hända att han fick hälla upp ett litet fat med astmapulver och i sin nattvaktskur försöka få sina lungor att inte tvinga honom till andnöd och svettning.

Till sonen hade Andersson sagt: Det var kapital som fattades. Om man bara haft kapital.

Sonen hade som vanligt ingenting svarat. Sonen var enbart glad att gubben lagt ner affären. Sonen hade aldrig velat ha en sjuklig drömmare till far. Han hade önskat sig en stor rödhårig farsa som söp.

Det skulle så vara enligt vad han förstod.

Och att gubben så öppet velat skylta som västgöte hade han aldrig tålt. Söderkisar fick inte tåla det.

Fru Andersson återvände till Danvikens kök. Hon tog inte förlusten av affären hårt men hon tyckte nog att affärslivet kanske givit Andersson ett slag för mycket.

Fru Andersson trivdes i Danvikens kök åtminstone så länge hennes knän bar i den tunga Bondegatsbacken.

Och sedan när ransoneringarna började så skulle kanske Danvikens mat smaka både Andersson och barnen.

Det var som det var.

Många hade det sämre.

Det återstod ingenting annat än att hoppas på fred.

På fred och att barnen skulle bli förnuftiga nog att vilja lära sig ett yrke.

Kanske skulle J.F. Andersson sluta att skämmas. Så småningom skulle han ekonomiskt kunna ersätta sina vänner Herman och Nyqvist.

Det hade ju när allt kom omkring inte gällt alltför höga summor.

Renhållningsverket övertog Västgötalagrets lokal och förvarade där om somrarna sina långa kvastar och krattor och om vintrarna sina snöskyfflar och isspett.

J.F. Andersson gick inte gärna förbi sin gamla affär.

Hans hjärta och hembygd låg begravda därinne.

Kanske lärde sig J.F. Andersson att sluta med att skämmas.

Men någon mer gång drog han inte själv upp sin svarta klocka.

Nyponen skulle mogna sent även om hösten skulle tyckas tidig.

Den första september går tyskarna över den polska gränsen och Warszawa bombarderas. Två dagar senare går England och Frankrike i krig mot Tyskland.

Den nionde september går Kanada med i kriget.

Vilddjuret har brutit sina bojor och människorna skola snart tvingas äta sitt eget träck.

Kriget är här för att stanna och för att spridas.

Den sjuttonde september rycker ryssarna in i Polen.

Den femte oktober paraderar Hitler i Warszawa och förklarar att kriget är slut.

Men världen har skurit av sin pulsåder. Nu hjälper inte längre tryckförband.

Den trettionde november går ryssarna till anfall mot Finland över Karelska näset. Finnarna vinner de inledande slagen vid Tolvajärvi och Suomussalmi.

Päämajan tilannetiedoitus suomeksi uutisten jälkeen.

Rönnbären varslade om den kommande vinterns kyla och att den skulle bli svårare än någonsin i mannaminne.

Och någon påstår att djävulen skrattar sitt sekels skratt.

Vilket redan då syntes något tidigt att sia om.

Stockholm våren 1965

homosexuella, prostitutionen ur bolsjevikerna, humanismen ur humanisterna, allt medan Himmler själv förbereder en resa till Island för att där spana efter nordiska förfäder.

Gamla, kraftlösa och sinnessjuka utrotades. Göring ville ha män av stål i sina kadrer.

Bokbålen brinner.

Vem befattade sig med Freud, Thomas Mann eller Einstein?

Fru Krik lyssnar till hur östra Söders radioapparater går varma under sången Stilla natt, heliga natt och det skall dröja många jular än innan denna psalm återigen får ett berättigande. Om den någonsin mer får det.

Eller ens hade det 1938, 1937, 1936, 1935, 1934, 1933, 1932 eller 1931.

Fru Krik borde gå och lägga sig men hon orkar inte. Det är alldeles tyst dessutom. Denna överbefolkade gatstump levde annars dag som natt.

Skolbarn på mornarna och småbarn på dagarna, halvvuxna på kvällarna och nästan vuxna på nätterna. Bollspel, slagsmål och gatukrig mot nytorgare eller tengdalare och till och med mot drivande horder av gäng från Gamla Stan. Krig med käppar och störar och stenar. Kanske var det inte så farligt som det såg ut. Men det gav gatan liv gränsande till oväsen.

Denna kväll, den kväll man skulle komma att kalla den sista fredsjulen, var det alldeles för tyst.

Ett ghetto av stiftelsehus med utegångsförbud och tvångsfrid därför att en frälsare varder oss född. En frälsare i vars namn arméer i en snar framtid kommer att slita strumpor. En frälsare i vars namn arméer skall välsignas och snart dö för.

Visste världen detta 1938?

Om J.F. Andersson visste det så visste världen det.

Om judegumman Krik visste det så visste världen det.

Det skulle bli krig.

Om sedan 27 % av svenska folket nu trodde att det som stod i Uppenbarelseboken skulle gå i uppfyllelse behövde ju inte det egentligen betyda att vidskepelsen trots bildningsarbetet var avgrundsdjup.

Det var i vilket fall det lättaste sättet att förklara nånting, som för de flesta, och särskilt dem som upplevt det tidigare världskriget, var totalt ofattbart.

Att ett nytt storkrig var att vänta.

Hellre skylla på Uppenbarelseboken än på ingenting alls.

Det kunde ju inte bli krig av ingen anledning alls.

Förmodligen visste inte ens fem procent av de tjugosju procenten vad som egentligen står i Uppenbarelseboken. Eller var Uppenbarelseboken finns att få tag i eller att den överhuvud taget fanns.

Anta att den frågan ställts varför och hur det egentligen kom sig att det förekom judeförföljelser i Tyskland. 27 % av svenska folket skulle förmodligen svara att det förekom judeförföljelse därför att det i Tyskland fanns judar att förfölja. Om man sedan frågat om man trodde detta berodde på det straff judarna enligt bibelns sätt att förutse skulle ha och att det kunde vara rättvist, så skulle förmodligen 27 % säga att det var rättvist. Eftersom